Juana la Loca
Madre del Emperador Carlos V
Su vida - su tiempo - su culpa

EDICIONES PALABRA
Madrid

Ludwig Pfandl

Juana la Loca
Madre del Emperador Carlos V
Su vida - su tiempo - su culpa

AYER Y HOY
DE LA HISTORIA

Esta obra ha sido publicada con la ayuda
de la Dirección General del Libro, Archivos y
Bibliotecas del Ministerio de Educación y Cultura

@ *by* VERLAG HERDER GmbH&Co. KG. 1930
© *by* Ediciones Palabra, S. A., 1999
Paseo de la Castellana, 210 -2º - 28046 Madrid

La versión original de este libro
apareció con el título:
JOHANNA DIE WAHNSINNIGE

Traducción:
Carla Arregui

Diseño de cubierta:
Carlos Bravo

Printed in Spain
I.S.B.N.: 84-8239-373-1
Depósito Legal: M. 25.807-1999
Imprime: Anzos, S. L.

PRESENTACIÓN

La reina Juana de Castilla es un personaje menos conocido de lo que parece. Todo el mundo que ha leído o estudiado algo de historia de España se ha encontrado con el nombre de Juana la Loca, casi todos creen saber que se volvió loca por amor, algunos saben, además, que fue madre de Carlos V el Emperador, pero poco más.

Y es que el lugar que Juana ocupa en la Historia es muy particular: a primera vista, su importancia es mínima, pues aun siendo reina pasó 49 años de su vida –murió a los 75 años de edad– encerrada en el castillo de Tordesillas, casi sin contacto con el mundo en que vivía. En estas condiciones, se considera, naturalmente, que poco pudo influir en el desarrollo de los acontecimientos históricos en Castilla y, mucho menos, en los de Europa.

Sin embargo, observando con más detenimiento este peculiar personaje, inmediatamente se cae en la cuenta de que su papel no carece, ni mucho menos, de relieve. Y algunos historiadores, que le han dedicado su atención, han sabido poner de manifiesto su importancia.

Hija de los Reyes Católicos, recibió una educación muy cuidada, lo mismo que sus otros hermanos. Isabel la Católica tuvo siempre, junto a las enormes tareas de gobierno que le cayeron en suerte, una preocupación muy grande por la instrucción de sus hijos, y les proporcionó los maestros más insignes de la época; esto hizo de ellos, tal vez, los príncipes más instruidos del Renacimiento. Juana se casó con Felipe el Hermoso, archiduque de Austria, hijo del

7

Emperador Maximiliano I; no estaba destinada a ser reina, pero ya desde los primeros años de su matrimonio, cuando vivía en Flandes con su esposo, una serie de desgracias familiares hicieron que sobre ella recayera la sucesión de la corona: murieron su hermano Juan, su hermana Isabel y su sobrino Miguel de Portugal, que habrían heredado el reino antes que ella.

Y he aquí que, sin haber puesto nada de su parte, Juana se convierte en la pieza clave y codiciada de la política europea, ya que en ella y en su esposo recae la herencia de los tronos más poderosos y ambicionados del mundo de entonces: por parte de Juana, Castilla, con las posesiones del Nuevo Mundo, y por parte de Felipe el Sacro Imperio Romano Germánico, en manos de la Casa de Habsburgo. Acuden los esposos a España y, en cuanto las Cortes de Castilla y de Aragón reconocen a ambos como herederos, Felipe el Hermoso regresa a Flandes y Juana de Castilla empieza a ser *Juana la Loca*. Ya desde el comienzo de su matrimonio, la vida ligera de su esposo provocó en ella continuos ataques de celos; ahora, al saber que él estaba lejos, aquellos ataques desvelaron la existencia de un mal más profundo, cuyas raíces hay que buscarlas en la herencia recibida de su abuela Isabel de Portugal y que ella misma transmitió a la rama de los Austrias.

Desde entonces, la vida de Juana parece una tragedia fruto de la imaginación más que una dolorosa y conmovedora realidad. A pesar de encontrarse en tan tremendas circunstancias, alrededor de la reina se iban tejiendo los hilos de la política maquiavélica propia de su época, con toda suerte de engaños y de intrigas, pues de su posible sucesión dependía el futuro acontecer histórico de Europa. Su propio padre, el rey Fernando —a quien Maquiavelo tomó como modelo cuando escribió su célebre *Príncipe*—, aprovechó la penosa situación de su hija, la apartó de toda intervención en el reino y la recluyó para siempre en Tordesillas.

Esta ausencia forzada de la escena europea, junto con el hecho de que Juana estuvo enmarcada en su época por dos de los personajes más relevantes de la historia de España —antes, su madre, la genial Isabel, y, después, la egre-

8

gia figura de su hijo el Emperador Carlos V– son sin duda la causa de que la reina de Castilla nos aparezca como un personaje tan sin relieve, del que sólo se recuerda su locura. Su tiempo fue un sombrío interregno y tanto su personalidad como su vida se extinguieron sin más, sumergidas en una silenciosa noche de enajenación.

El extraordinario historiador hispanista Ludwig Pfandl ilumina ese oscuro rincón de la historia española y en parte europea. Con su personal sentido de investigador, nos ofrece un relato de la que fue abuela del gran rey Felipe II, en cuyos territorios no se ponía el sol, y bisabuela del príncipe Carlos, a quien el germen de la demencia, que ella le transmitió, convirtió en otro personaje controvertido que la Historia y la Leyenda Negra mantienen vivo en la memoria popular.

M. M.

I
LA HERENCIA DE LOS ANTEPASADOS

España a finales de la Edad Media. - Crisis en Castilla. Mecenazgo e incapacidad política de Juan II. - Caída del favorito Álvaro de Luna. - Perturbación creciente bajo Enrique IV. - El escándalo de su matrimonio. - Sublevación de la nobleza y derrocamiento público del monarca. - Isabel, heredera del trono de Castilla y esposa del príncipe heredero de la corona de Aragón. - Una boda pobre y continuas batallas. - La victoria del derecho y fundación del reino español. - Personalidad de cada monarca. - Cada uno a su manera, representante del Renacimiento. - El aumento de territorios y las reformas internas. - Rebeldía de los nobles y los salteadores de caminos. - La policía y las finanzas, el comercio y la industria. - Funcionarios y renovación del derecho. - Iglesia nacional, Iglesia reformada e Iglesia unificada. - Fuera de Roma en el sentido español. - Reforma antes de Lutero y antes de la Contrarreforma. - Ximénez de Cisneros. - La políglota de Alcalá. - Renovatio monastica. - El rey Fernando, más pasivo. - Algo sobre Lutero, Zwinglio y Calvino. - El problema religioso, un problema racial en España. - La expulsión de los judíos. - La conversión de los moros. - Debe y Haber después de 26 años. - Felicidad en el Estado y desgracias en la familia. - Muerte del heredero de la Corona.

1.

A finales de la Edad Media, la península pirenaica hacía tiempo que había dejado de ser, como entidad nacional, una mezcla variopinta de pequeños reinos, condados y comunidades tributarias que, durante siglos de resistencia y lucha contra el invasor árabe, se había ido formando, para luego dividirse en diversos trozos y más tarde volver a conformarse. En los albores del Renacimiento y de la era de los descubrimientos, el territorio ibérico estaba ya dividido en tres importantes reinos: el reino de Portugal al oeste, el de Aragón al este y en el centro, el de Castilla y León. El reino de Aragón dominaba las Baleares, Cerdeña, Sicilia y Nápoles, la cuenca mediterránea, el *Mare Nostrum* de los romanos, y ambicionaba objetivos políticos de mayor expansión europea. Portugal también había dado sus primeros pasos de expansión colonial, conquistando y poblando parte de la costa septentrional de África. Sin embargo, el mayor y más poblado de los tres reinos del territorio ibérico, el reino de Castilla, tenía cerrado el paso a su mejor salida natural al Mediterráneo en el sur por el extenso y último baluarte árabe, el reino de Granada. Por si esto fuera poco, el reino de Castilla tenía además muchas condiciones adversas de naturaleza interna: su gran división política interior, codicia y despotismo por parte de nobles faltos de escrúpulos, la incapacidad de algunos reyes, y un absoluto desconocimiento del concepto de Estado. Todo esto le impedía tener más importancia en el exterior y más unidad en su interior. Pero en el último tercio del siglo XV, Castilla había madurado y concluido la conveniencia de tomar una

13

decisión, esencial para su supervivencia: unirse dinástica-
mente con uno de sus dos más poderosos, y también más
unidos, vecinos limítrofes a derecha e izquierda. Anexio-
nándose uno de ellos, Castilla, además de evitar su desinte-
gración, podría convertirse en una gran potencia, en una
especie de unidad ibérica. Y eso fue lo que sucedió exactamente. Juan II de Castilla (1407-1454) subió al trono a la
edad de dos años, y toda su vida fue rey sin dejar de ser
niño, incapaz de valerse por sí mismo. A este rey se le co-
noce en la historia de la literatura como mecenas de una
corte donde las musas de la poesía, el romance y la música
de cuerda eran inagotables. Pero gobernando era un complaciente muñeco en manos de un favorito insaciable: el
condestable Álvaro de Luna, hombre vividor, ambicioso y
falto de escrúpulos. Todas las tentativas de los nobles des-
contentos para derrocar al encubierto dictador, fracasaban
frente a la astucia y máxima autoridad del condestable; su
poder era ilimitado y su proceder, insoportable. Convencido de que una infanta huérfana y descendiente de una línea colateral lusitana, nunca sería un peligro para el logro
de sus ambiciosos planes, Álvaro de Luna aconsejó a
Juan II tomara en segundas nupcias (1447) a la infanta Isabel de Portugal, sobrina de Enrique el Navegante. Pero se
equivocaba, porque esta Isabel fue precisamente la causa
de su ruina. Mujer excéntrica y fácilmente irascible desde
su juventud, con el paso de los años fue empeorando y murió con enajenación mental. Aquí están las raíces de la degeneración física hereditaria que, con algún salto genera-
cional de distinta duración, posteriormente reaparecerá,
por desgracia, en doña Juana la Loca y en Carlos[1]. Pero en
sus buenos tiempos, Isabel fue una mujer orgullosa, enérgica y astuta, que no cejó hasta lograr que el rey diera oí-
dos a las quejas y reclamaciones de sus vasallos. El proceso,
una vez puesto en marcha, fue breve y cruento y Álvaro de
Luna fue decapitado el 2 de junio de 1453 en una plaza
pública, en Valladolid.

---

[1] Es el príncipe Carlos (1545-1568), hijo de Felipe II y de su primera esposa,
la infanta portuguesa María Manuela, ésta a su vez hija de Juan III y de doña Catalina, hermana de Carlos V de Alemania y I de España (N. del T.).

Aquello suponía sin duda alguna una liberación para todo el mundo, pero demasiado tarde; el monarca murió sólo un año después. Este rey dejó de su primer matrimonio un hijo y sucesor, Enrique IV, y del segundo otros dos, Alfonso e Isabel, la cual, además de heredar las coronas de Castilla y Aragón, iba a ser portadora de un germen de locura que con el tiempo, traspasaría de la abuela a la nieta. Enrique IV fue un rey peor aún que su padre. La indolencia y la gula le impidieron ejercer un inocente mecenazgo que, como a su padre, a buen seguro le habría reportado algunas simpatías. Pero sus veinte años de reinado fueron también de decadencia moral, política y social. El derecho y las leyes dejaron de tener vigencia y el erario público quebró por la arbitraria depreciación de la moneda, hasta el punto de que la clase social sencilla sólo podía adquirir lo imprescindible con trueques. Corrupción, fraude, abusos de toda especie, latrocinio y usura; la delincuencia y la insurrección cundían por el país sin que nadie hiciera nada por impedirlo. Esta época de decadencia está muy bien reflejada en la literatura, en las así llamadas *Coplas del Provincial*, una sátira apasionada en 141 estrofas de cuatro versos, que es la sátira más mordaz, disoluta y desenfrenada jamás escrita en lengua española. Y dicen esas coplas, que nueve de cada diez nobles caballeros castellanos eran culpables de adulterio, incesto y sodomía. Claro está que puede considerarse esta sátira como un simple y arbitrario libelo mal intencionado, pero no darle crédito resulta difícil si nos atenemos a lo que el noble bohemio Rozmital, que viajó por España por aquel tiempo, cuenta de una bella ciudad castellana: *Vitam tam impuram et sodomiticam agunt, ut me eorum scelera enarrare pigeat pudeatque*[2].

La vida matrimonial de Enrique IV fue un rotundo fracaso. Su primera esposa, Blanca de Navarra, le abandonó poco después de la boda alegando la impotencia del rey. Pensando en la necesidad de reforzar y conservar los nexos con el vecino reino de Portugal, su madrastra (victoriosa enemiga de Álvaro de Luna) le obligó a contraer

---

[2] En *Hof-und Pilgerreise*, 71.

nuevo matrimonio con su prima Juana, hija del rey Duarte I. Esta segunda esposa, de temperamento muy vivo y bien dotada de todos los encantos femeninos, después de seis años de matrimonio seguía sin descendencia. Cuarenta años más tarde corrían aún de boca en boca los escandalosos pormenores de la impotencia del esposo[3]. Así que, cuando Juana, en contra de todo pronóstico, dio a luz una niña, para todo el mundo era un secreto a voces que el padre de la criatura no era otro que el apuesto caballero cortesano, Beltrán de la Cueva. La niña recibió en las aguas bautismales el nombre de Juana, como su madre, pero siempre fue conocida de todos con el sobrenombre de «La Beltraneja». Este lamentable episodio fue, además, causa de una sublevación popular y de una anarquía, como nunca se había visto hasta entonces.

Parte de la nobleza estaba descontenta con las exigencias del monarca, que quería que la Beltraneja fuese reconocida heredera del trono; los nobles más rebeldes, capitaneados por Juan Pacheco, Marqués de Villena, y por su tío, el belicoso arzobispo de Toledo, Alonso Carrillo, se rebelaron y establecieron un gobierno paralelo. Tomaron bajo su tutela (una así llamada «tutela») a los infantes Alfonso e Isabel y se propusieron difamar públicamente al rey, con el fin de poder destronarle. En Ávila, el pueblo enfurecido levantó un tablado, sentó en un trono a un muñeco con corona, manto real y cetro, y después de leer una sentencia, lo despojaron de los atributos reales y lo patearon; entronizaron y proclamaron rey a su hermanastro Alfonso, ante el beneplácito y gran regocijo de una enardecida muchedumbre. El «muñeco» vivo sentado en trono también verdadero, tuvo que entrar en negociaciones con ellos para poder salir de aquella delicada situación, y les propuso que uno de sus cabecillas, el hermano del Marqués de Villena y gran maestre de la Orden de Caballeros de Malta, tomara por esposa a su hermanastra la infanta Isabel. Aceptaron aquella oferta y todo parecía ir por buen camino, pero, pocos días antes de los esponsales, el novio moría repentina-

---

[3] Jerónimo Münzer, médico de Nuremberg, relata esos pormenores en una crónica en latín, de su viaje por España (1494-1495).

mente de forma misteriosa; se pensó en un posible envenenamiento, pero eso sigue hasta ahora sin haberse podido demostrar. Después de aquel fallido intento pacífico, decidieron probar con las armas, y el 20 de agosto de 1468, en Olmedo, se libraba una sangrienta batalla. Fueron vencidos por los leales al rey con una escasa victoria, pero Enrique IV no puso demasiado empeño en sacar partido de ella. Aquello se solucionó, aunque de forma completamente inesperada. El infante Alfonso, rival del monarca, murió también tan repentina y misteriosamente como el gran maestre de la Orden de Malta. Al parecer, Alfonso era sospechoso de favorecer al enemigo.

Era el momento indicado para que Isabel, mujer de acción y llena de energía, hiciera valer sus derechos al trono. Isabel nunca había pensado en renunciar a sus derechos de sucesión, ni tampoco deseaba mantener por más tiempo un gobierno doble y aquel vergonzoso y anárquico estado de cosas. Con gran decisión y mucho tacto, logró reunir a los nobles y contentar a las dos partes con la siguiente solución: Enrique IV seguiría siendo rey de Castilla, pero después de fallecido, ella sería única heredera y sucesora de la corona, con renuncia expresa de la Beltraneja a la pretensión al trono. Puestas así las cosas, a ambos vecinos, el lusitano y el aragonés, se les presentaba una seductora posibilidad: unirse en matrimonio a la heredera del trono de Castilla y juntar sus reinos en uno solo. Enrique IV rechazó la propuesta venida de Portugal. Su experiencia con Portugal no había sido buena; Juana le había dado un vástago bastardo. E Isabel, por razones sentimentales y afectivas, rehusó también emparentar con la casa real lusitana. La embajada del candidato aragonés, por el contrario, fue recibida con agrado. La oferta de Juan II de Aragón era su candidato a la sucesión al trono de Aragón, de rango y nobleza similares a los de Isabel, un joven de todos conocido por sus méritos personales. Isabel sopesó los pros y los contras de tal proposición. Era consciente de la poca solidez de su reino, tan necesitado de un brazo fuerte capaz de devolver a la monarquía su dignidad perdida; Castilla requería una solución que contribuyera a unir al pueblo enemistado, sólo así podría liberarse al país de la secular dominación árabe. Las primeras negociaciones entre los dos reinos dieron buen resultado. Pudo contribuir en buena parte y entre otras cosas, cierta afinidad familiar, pues no en balde los abuelos de ambos contrayentes eran hermanos. Enrique IV, muy satisfecho con aquella solución que le liberaba de sus anteriores pesadumbres, no dudó en dar su consentimiento, e Isabel, después de haberlo considerado, también respondió afirmativamente y, en enero de 1469, se firmó el contrato matrimonial entre Isabel de Castilla y Fernando de Aragón. Pero pronto surgieron nuevas desventuras a causa de este enlace. Con la futura consolidación de la monarquía, los prohombres de Castilla vieron llegado el fin a su independencia; algunos partidarios de Isabel la abandonaron y se pasaron a las filas contrarias, defendiendo con repentino celo la legitimidad de la Beltraneja. Y más aún. Sucedió algo que en principio podría parecernos inverosímil: el débil rey Enrique IV también se pasó al bando de los sediciosos. Después de esto, Isabel no encontró mejor solución para acabar con aquella nueva y complicada situación, que contraer matrimonio con Fernando cuanto antes. Sería lógico pensar que, dada la gravedad del trance, el futuro esposo acudiera velozmente con sus huestes, en auxilio de la esposa. Pero no fue así. Para empezar, la organización militar de aquellos tiempos era muy deficiente, no se contaba con tropas dispuestas para salir rápidamente a campaña; pero además, el pequeño contingente del candidato aragonés estaba destacado en Cataluña, tratando de sofocar un intento de alzamiento. Así que, el noble heredero de la Corona de Aragón optó por salir al encuentro de su futura esposa y reina disfrazado de arriero y fingiendo servir de mozo de mulas, así se puso en camino, acompañado de algunos de sus leales. Cinco días después de conocerse, exactamente el 19 de octubre de 1469, Isabel y Fernando celebraban su enlace matrimonial en un salón del palacio que les había servido de alojamiento. Sus nobles tuvieron que contribuir a costear los gastos de una sencilla ceremonia.

Nada más morir el rey Enrique IV, el 11 de diciembre de 1474, el partido contrario a la sucesión de Isabel buscó una rápida alianza con Alfonso V de Portugal, que por en-

18

tonces trataba de conseguir por las armas lo que no había conseguido por las arras. Presentaron a la Beltraneja como legítima heredera del trono de Castilla, con el fin de que Alfonso contrajera matrimonio con ella y así fue; celebraron sus esponsales en Plasencia, se proclamaron rey y reina de Castilla y enviaron grandilocuentes manifiestos a todas las ciudades. A la vista de esto, Isabel y Fernando, ayudados por el clero y la nobleza que habían permanecido fieles, reunieron una modesta tropa dispuesta para combatir y poco después estalló una guerra civil, inicialmente provocada por los soldados portugueses. El día 1 de marzo de 1476, Fernando salió vencedor de una sangrienta batalla que se libró entre Toro y Zamora. Pero a pesar de aquella victoria, tanto en el norte como en el sur del país fueron necesarias muchas otras batallas, antes de obtener el reconocimiento y la conformidad de todo el pueblo. Isabel y Fernando recorrieron por separado todo su territorio, cabalgando a la cabeza de sus gentes, ella embarazada ya de su primer hijo. Y muchas veces tuvieron que defender sus legítimos derechos con la fuerza de las armas, y con frecuencia, incluso a costa de mucha sangre.

El obstinado monarca portugués entretanto había vuelto a reunir sus diezmadas tropas para presentar nuevamente batalla, pero el 24 de febrero de 1479, fue definitivamente derrotado en La Albuera. Las infructuosas pretensiones de este monarca portugués dieron fin en 1479, con el tratado de paz de Alcántara, e Isabel y Fernando finalmente tuvieron libre acceso al trono. No obstante y para mayor seguridad de todos, la pobre bastarda víctima inocente de una culpa dinástica y desposada con el infante portugués, la Beltraneja ingresaba de por vida en un convento de Coimbra.

Así fue la unión de las dos coronas de Castilla y Aragón. Y así unidas formaron un gran reino que en un futuro, en tiempos de Carlos V y Felipe II, llegaría a ser un gran imperio dominando otras fuerzas y países y que, como primera potencia europea, también determinaría y gobernaría el curso de la historia moderna.

19

2.

La unión de estos dos reinos en modo alguno significó su fusión, sino unificación de sus fuerzas. Los sacrificios y los esfuerzos de Isabel y Fernando en aras, tanto de la estabilidad interior de su país, como de la seguridad en el exterior, nunca serán suficientemente ensalzados. Ambos monarcas, a pesar de sus grandes diferencias, se completaban y compartían las mismas preocupaciones. La debilidad de uno era fortaleza en el otro; y los defectos de uno tenían su contrapartida en el otro. La figura más noble y por tanto más amable de los dos monarcas, es sin duda la de la reina. Isabel era una castellana auténtica. Arrogante pero respetuosa, creyente y piadosa hasta rayar en el fanatismo y la intolerancia, era justa y prudente, enérgica, muy virtuosa, de carácter íntegro y buscando en todo solamente el bien. Cuando Colón le expuso su arriesgado proyecto de expedición marítima, el navegante obtuvo el consentimiento de la reina después de mencionar la cantidad de almas que así podrían salvarse para el Cielo. En el proyecto de vida de Isabel, primaban la paz y la concordia en todo el país, asegurando el libre ejercicio de sus derechos a todos sus vasallos. Existen numerosos edictos firmados por esta reina, fiel testimonio de su desinteresada forma de negociar los asuntos económicos y de los temores y escrúpulos que sufría cuando parecía que alguna de sus órdenes pudiera lesionar los derechos de los súbditos. Era la soberana más demócrata hasta entonces conocida, aunque algunos de sus decretos resultaran, por su forma, prácticamente absolutistas. El famoso proverbio español: «Del rey abajo, ninguno» no iba con ella; a la hora de gobernar, más bien parecía ser lo contrario[4]. La reina Isabel fue la iniciadora de una especie de absolutismo –de corte marcadamente hispano– que, más adelante, su nieto Felipe II tanto se esforzará por llevar a cabo como ideal de una monarquía demócrata.

---

[4] Baste pensar en el origen del monje Jiménez de Cisneros y las atribuciones que, conforme a sus extraordinarias dotes, la reina le confiara sobre la Iglesia y el Estado; en Alemania, un hombre del tiempo y origen de Jiménez de Cisneros sólo podría soñar en llegar a ser provincial de su Orden o incluso santo, pero nunca Cardenal y, mucho menos, príncipe de Maguncia, Tréveris o Colonia.

Los rasgos característicos de Isabel podían ciertamente resultar algo varoniles, mientras que Fernando, por el contrario, tenía rasgos que podrían ser más adecuados a la mujer. Fernando era un hombre listo, cauteloso, tenaz, ambicioso de poder y de dinero, bastante tacaño, muy sensual y sin demasiados escrúpulos. A la hora de decidir los medios para sus fines, no tenía en cuenta los vínculos de la sangre, ni los mandamientos del honor, por lo que nunca se podía estar seguro de él; nadie confiaba en él. Sus pactos por escrito eran simple papel mojado, y sus promesas orales tácitamente consideradas nulas. Una vez informaron a Fernando que Luis XII, rey de Francia, se había enojado por haber sido engañado por segunda vez por él, y Fernando sonrió socarronamente: «¡Miente! Es la décima vez». Colón también se dirigió a él para exponerle su viaje con el fin de descubrir nuevos mundos; el monarca sólo dio su aprobación a ese viaje al oír el oro y la plata que podrían enriquecer sus arcas. Cuando su propia hija Catalina quedara viuda de su primer esposo en Inglaterra, Fernando le negó la parte de la dote que aún le debía, dejándola en una situación bastante lamentable. También le gustaba humillar y menospreciar a su yerno Felipe el Hermoso; le parecía un obstáculo para poder llevar a cabo su soberana voluntad. Fernando vivió siempre rodeado de amantes y pobló la corte de vástagos bastardos. La cámara de la real pareja fue escenario frecuente de terribles escenas de celos hasta que Isabel, entrada en años y con achaques, optara por aceptar pacíficamente aquella situación, al parecer, inevitable. Dicen, aunque sea dudoso, que Maquiavelo puso al rey Fernando como modelo de soberanos. Hemos de decir en justicia, que teniendo en cuenta el afán de Fernando por estar al servicio del poder y la grandeza de su patria, fácilmente se puede perdonar e incluso, más aún, enaltecer a este vilipendiado monarca. En él había una fuerza que sólo parecía querer el mal, pero que, sin embargo, creaba mucho bien.

Tanto Isabel como Fernando son prototipos del Renacimiento, cada cual a su manera. En Fernando se puede ver cierto espíritu maquiavélico, mientras que en Isabel, una gran inquietud humanista. La forma empleada por prínci-

21

pes y repúblicas de la Galia Cisalpina, tan ingeniosamente
predicada por Maquiavelo como doctrina, era la de mantener la voluntad soberana frente a los súbditos sin miramiento alguno, y eso requería una astuta diplomacia libre
de cualquier respeto humano, sobre todo interiormente.
Fernando tenía esta característica del Renacimiento.
La contribución humanista del Renacimiento a la reina
Isabel se refleja en su concepto de estado, basado en un
ideal de mejora del mundo y de los hombres y con un
nuevo orden político de formas más adecuadas a ese fin
perseguido; más que de suprimir los malos hábitos de antaño, se trataba de eliminar el feudalismo y establecer nuevas jerarquías de valores. La reina, además de sentido político, tenía alma humanista. Sus coetáneos italianos y
españoles educados en Italia, contribuyeron importando a
la península pirenaica el conocimiento de otras lenguas y
de la cultura antigua; lo que en tiempos de Juan II había
sido un ocioso pasatiempo, se había convertido ahora en
un estudio serio y gozoso de las artes. La reina Isabel, discí-
pula aplicada de aquellas nuevas disciplinas, hizo que su
expansión y crecimiento fueran rápidos y profundos. A pesar de la atención debida a las empresas militares y a sus
ineludibles obligaciones de reina, Isabel disponía de
tiempo para leer los clásicos de la Roma antigua. Las lecturas y el discurso en latín de embajadores y visitantes de
otras tierras, la capacitaron para responder de corrido en
lengua latina. De las veintiuna universidades fundadas en
España hasta mediados del siglo XVI, cinco fueron erigidas
bajo su reinado. Italia envió a la nación vecina a dos de sus
grandes humanistas, Lucio Marineo Sículo y Pedro Mártir
Angleria; este último, maestro y preceptor de los hijos de
Isabel y Fernando, y de otros muchos jóvenes de la nobleza. Según cuenta la crónica del alemán Jerónimo Münzer, que tuvo la oportunidad de conocer a la familia real en
el año 1495, todos ellos eran grandes humanistas. Su conocimiento de la lengua latina era tal, que tanto padres como
hijos, la hablaban y escribían con suma facilidad.

3.

Estos dos monarcas tuvieron como norma suprema de gobierno, tanto en política interior como exterior, la de gobernar primando el orden y la unidad en todo. Ese máximo anhelo de concordia y armonía, se iba reflejando simbólicamente por todas partes. Las monedas, por ejemplo, se acuñaban con la efigie de ambos soberanos; el emblema real unificaba los escudos de armas de los dos reinos; leyes, pragmáticas, decretos y todos los documentos de carácter público requerían la firma de ambos monarcas. El lema de los dos reinos unidos era:

> Tanto monta, monta tanto
> Isabel como Fernando.

El primer hecho glorioso en aras de este encomiable ideal fue, sin duda alguna, el fin de la Reconquista. El 2 de enero de 1492, después de una larga y tan porfiada como heroica contienda de más de diez años de duración, tuvo lugar la ansiada rendición de Granada y consecuentemente la esperada liberación del territorio español de un dominio musulmán que había durado varios siglos.

El final de aquella guerra santa, después de una cruzada de cuatro siglos en propio territorio, fue un respiro para toda la cristiandad que además atrajo la atención de Europa a España, país hasta entones apenas conocido, haciendo olvidar fácilmente la lamentable pérdida de Constantinopla y despertando una nueva esperanza en la reconquista de Jerusalén. Por otra parte, contribuyó también a que la idea de una unidad nacional sometida a un solo gobierno, se fuera popularizando en España. Más aún, a aquel intrépido espíritu conquistador del suelo patrio, que los Reyes Católicos sin duda favorecían y animaban, se sumaba ahora una sana ambición de conquistar nuevos mundos de ultramar. Cristóbal Colón, descubridor del nuevo continente, con su hazaña colocaba la primera piedra de un glorioso imperio colonizador perteneciente a la Corona española y que, años después, con otros fines y tras muchas tribulaciones, tanto auge y prestigio iba a alcanzar en la vieja Europa. Era como si una bendición del Cielo hubiera descendido sobre aquel naciente y ya poderosísimo imperio.

Con el fin de la Reconquista y el inicio de una venturosa expansión colonial, en el interior del país, lógicamente, se iba imponiendo un nuevo estado de cosas. El principal objetivo era, sin duda alguna, la consolidación de la monarquía. Y para eso era menester atar corto a la nobleza aún insurrecta, y establecer un nuevo orden reorganizando la fuerza pública, mejorando la Hacienda real, fomentando las artes y oficios y creando un nuevo ejército de guerra leal y pronto para la contienda. Todo ello más una seria reforma administrativa incluyendo la nueva regulación y codificación del derecho hasta entonces vigente. Y este nuevo proyecto culminaba finalmente en una política religiosa, tan rigurosa como difícil de cumplir, que por de pronto podríamos clasificar en tres Iglesias diferentes: Iglesia nacional, Iglesia reformada e Iglesia unificada.

Vamos pues a detenernos ahora en reavivar y conocer un poco más de cerca el significado de esos tres conceptos, uno a uno, porque su sola enumeración podría tener mucho o ningún sentido. Con ese estudio podremos conocer mejor los valores nacionales, políticos y espirituales que, a causa de la tragedia de doña Juana, corrieron peligro. Y, por otra parte, también entenderemos mejor el grave daño que aquello podía producir a lo que, con tanto esfuerzo y sacrificio Isabel y Fernando habían trabajado y logrado. Entonces encontraremos plenamente justificado que una pobre y desventurada reina pudiera ser un grave impedimento para el desarrollo y el progreso de su país.

4.

La anarquía reinaba todavía en muchas partes del país. Pese a las victorias obtenidas en Toro y Albuera y a las capitulaciones de Alcántara, aún había que someter a gran número de poderosos partidarios de la Beltraneja y del pretendiente portugués, sublevados desde hacía varias décadas, y por otra parte, las hostilidades y querellas familiares entre nobles e hidalgos seguían siendo incesantes. Isabel no estaba dispuesta a permitir que ni linaje, ni abolengo, fueran carta blanca para abusos, atropellos e indisciplinas. Mandó arrasar, sin ningún miramiento, los castillos y palacios de muchos nobles rebeldes, y la nueva administración prohibió, bajo pena capital, la construcción de nuevas fortalezas. Los nobles hallados culpables fueron juzgados y, en los casos extremos, decapitados públicamente, pero generalmente bastaba con apresarlos durante algún tiempo, hasta que después de un indulto magnánimo volvían a entrar en razón y recuperaban su buen nombre. Muchas atribuciones y favores fueron abolidos y los nobles tuvieron que abandonar sus privilegiados cargos. Aquellas prerrogativas, que durante largo tiempo habían disfrutado, mermaron tanto que dejaron de tener posibilidad de influir en el gobierno. Los maestrazgos de las Órdenes de Caballería de Santiago, Alcántara y Calatrava, cuya posesión había sido siempre motivo de envidias y rencores, también quedaron por disposición real agregados a la Corona, y los cargos de mayor relevancia en el gobierno y en la administración fueron adjudicados a personas del pueblo llano, letrados con estudios en derecho, filosofía o teología. Y por último, también revocaron muchas donaciones de tierras y rentas concedidas por la excesiva largueza de Enrique IV, por lo que un gran número de hidalgos se vio en la obligación de devolver fuertes sumas de dinero a la Corona. Esto, como es natural, supuso un incremento anual del orden de unos treinta millones de maravedíes para la hacienda real.

Solamente quedaron vigentes algunos favores y privilegios de la nobleza que, además de no perjudicar a nadie, halagaban a los favorecidos; por ejemplo se mantuvo el privilegio de continuar con la cabeza cubierta en presencia de los reyes o algunas prerrogativas como la de que un noble no podía ser apresado por tribunal de justicia ni sometido a tortura por tener deudas. Las buenas relaciones que Isabel y Fernando, a pesar de sus rigurosas y en parte inauditas reformas, siempre mantuvieron con las Cortes, se debían sobre todo a que, a la indiscutible legalidad de sus procedimientos, se sumaba el atractivo de ser normas muy populares. El trato dado posteriormente por Felipe II a la nobleza, con los medios y las formas conformes a su tiempo, era sólo una continuidad de la política seguida por sus bisabuelos.

En el año 1476 se llevó a cabo una importante renovación en una especie de fuerza policial civil, instituida en tiempos de Enrique IV, llamada *Hermandad* y por entonces muy desprestigiada. En su nueva organización, la Santa Hermandad disponía de tribunales provinciales y competencia judicial ilimitada, para perseguir y castigar hechos delictivos que atentaran contra la seguridad y el orden público. La Hermandad contaba para esa labor policial con cuadrillas o grupos reducidos de actuación, repartidos por todo el país, y eran bien retribuidos, lo cual requería que nobles y plebeyos tributaran mediante un impuesto. La Hermandad limpió el país de malhechores, salteadores de caminos, ladrones y asesinos, contribuyendo con ello a establecer la paz y la seguridad tan necesarias para el tráfico y el comercio, ya casi desaparecidos durante los años de guerras dinásticas. Y cumplió su cometido con tanto rigor y eficacia que, aproximadamente veinticinco años después, la institución dejaba de ser necesaria y fue gradualmente desapareciendo.

En cuanto a la política financiera, lo primero que se hizo fue la citada devolución de rentas a la Corona y después la abolición de la libertad de imponer tributos, que la aristocracia y el alto clero tenían, con lo que se logró mayor orden y estabilidad en los impuestos tributarios, tan enmarañados hasta entonces. Al ser los impuestos de Cancillería especialmente importantes, se estableció la alcabala o tributo obligatorio, consistente en un pago del diez por ciento sobre compraventas. Todo esto era sin duda el inicio de la práctica administrativa burocrática, predominante en los tiempos de Felipe II y sus sucesores. El auge obtenido por las artes y oficios propició la unificación y exactitud en pesos y medidas; la industria textil prosperó gracias a la prohibición de importación de paños tejidos y de exportación de más de dos tercios del producto bruto de lana del país; y además, la supresión de aduanas fronterizas entre Castilla y Aragón, más la construcción de las vías de comunicación entre las grandes plazas, dieron un fuerte impulso a la vida industrial y comercial de España. Por otra parte, a medida que el poder hasta entonces en manos de los nobles desaparecía, las fuerzas militares también tomaban forma nueva. Los muchos pequeños ejércitos de los numerosos estados ibéricos de la Edad Media eran, como es natural, muy poco consistentes. Cada vez que el rey llamaba a las armas, todos, nobles, príncipes de la Iglesia y municipios, acudían a las órdenes de su soberano con tropa reclutada, instruida y equipada por ellos mismos. No cabe imaginar mayor desigualdad en lo referente a fuerza, instrucción, armamento y disciplina, que la que entonces había en aquellas unidades. En esa época, el valor y la bravura singular importaban más que la organización general. Al acabar la contienda, volvían todos a casa, los soldados recibían su parte correspondiente del botín y después se disolvía la tropa[5]. Durante las guerras dinásticas, los Reyes Católicos vieron repetidas veces que, de hecho, la Corona estaba siempre sometida al capricho de próceres, hidalgos, obispos y grandes terratenientes. Urgía, por lo tanto, disponer de un ejército independiente a las órdenes de la Corona, para no verse obligado a solicitar ayuda a la nobleza; así también disminuirían sus derechos, justo castigo a su altanería. Los Reyes Católicos vieron este deseo hecho realidad. El nuevo reclutamiento de tropas se hizo desde el poder central de dos formas diferentes: alistando soldados suizos para que tomaran parte y lucharan con éxito en la batalla final de Granada, y con la *ley de quintas* del año 1496, una ley que establecía el servicio militar obligatorio desde los veinte a los cuarenta y cinco años de edad, y disponía que uno de cada doce hombres útiles estuviera a sueldo en servicio activo. La magnífica instrucción de este nuevo ejército, su inmejorable equipamiento, su formación y las nuevas tácticas se deben a uno de los más grandes genios militares de todos los tiempos y lugares, el joven Gonzalo Fernández de Córdoba, conocido en la historia militar española con el sobrenombre de *el Gran Capitán.*

---

[5] Estos ejércitos organizados sólo para presentar batalla y disolverse después, recibían el nombre de *Tropas de acostamiento* (N. del T.).

27

Gonzalo Fernández de Córdoba organizó un regimiento de infantería consistente en 12 compañías con 6.000 hombres en pie de guerra[6]. Dividió las armas en tres clases, lanzas, picas o «suizones»[7] (especie de objeto punzante) y arcabuces, y adjudicó a cada regimiento 600 hombres a caballo. Dos regimientos con 64 cañones de varios calibres formaban una brigada de artillería y diez brigadas era el ejército al completo, al mando de un capitán general. Los soldados eran los primeros en avanzar a la ofensiva y marchaban en grupos formando cuadros, con los lanceros al frente y flanqueados por los piqueros. La artillería, la caballería y los portadores de picas a la retaguardia. Los lanceros iniciaban las batallas atacando al enemigo con gran estrépito, seguidos de cerca por los piqueros abriéndose paso a empellones y atacando con sus dardos y picas por sorpresa, ocupados como estaban sus adversarios defendiéndose de las lanzas que se les venían encima. Éstas eran las armas y las nuevas tácticas de Fernández de Córdoba utilizadas para hacer la guerra y que tantos triunfos dieran a España hasta el comienzo de la Guerra de los Treinta Años; pero a partir de la creación de los célebres *tercios*, en tiempos del emperador Carlos V (1534), la infantería así organizada experimentó un radical cambio.

Otra importante medida en el orden administrativo fue la del llamado Consejo Real que, durante los reinados de Juan II y Enrique IV, habían ido degenerando hasta convertirse en un caprichoso instrumento de fuerza en manos del clero y la nobleza. Los Reyes Católicos acordaron que dos terceras partes del Consejo Real estuviera formado por burgueses *letrados*. Su celo y su solícita vigilancia, lo convirtieron en un órgano de trabajo extremadamente laborioso. El Consejo Real se reunía en sesión todos los días laborables en el lugar de residencia de los monarcas, fuera éste cual fuere, de 6 a 10 de la mañana en verano y de 9 a 12 en

---

[6] El Gran Capitán concibió 2 *coronelías* de infantería con 12.000 hombres auxiliados por un millar de jinetes pesados y ligeros y por algo más de medio centenar de piezas de artillería. Esta nueva organización militar era conocida como ejército de *escuela militar española* (N. del T.).

[7] Antiguamente, «suizo» era un soldado de infantería armado de picas o «suizones» (N. del T.).

invierno. Sus miembros se obligaban bajo juramento a guardar riguroso secreto y los soberanos eran los primeros en dar ejemplo de ello. En tiempos de Felipe II, los embajadores y enviados de otros países seguían quejándose del excesivo sigilo del gobierno español; seguramente radica aquí esa peculiar característica que pronto se hiciera tradicional. Todas y cada una de las sesiones del Consejo constaban en acta pormenorizada que posteriormente se archivaba. De aquí debe partir también el ingente y minucioso servicio de Cancillería de los Habsburgo, que más adelante veremos. A partir de los Reyes Católicos, el arte de gobernar en España parecía estar basado en la máxima *Quod non est in actis non est in mundo.* El Consejo Real, además de su fin primordial, que era asesorar a los monarcas siempre que el caso lo requiriese, fue adquiriendo otras y mayores atribuciones, como las de ejercer de tribunal supremo de justicia en el país al que poder recurrir y cuyas sentencias eran inapelables. Con el tiempo, sus numerosos y siempre crecientes negociados se fueron multiplicando e inevitablemente surgieron más consejos o juntas permanentes; son los mismos órganos administrativos que vamos a conocer después, en la época de Felipe II y sus sucesores. En 1494 fue necesario hacer una primera división. El Consejo Real se dividió en dos consejos independientes: el Consejo de Castilla y el Consejo de Aragón. Otro hito marcado en este mismo campo fue el del nombramiento de corregidor, cargo ya existente en tiempos de Alfonso XI, muerto en 1350, pero ahora completamente renovado. Así como antaño las visitas del corregidor a las administraciones municipales eran solamente fortuitas y esporádicas, a partir de ahora las hará bajo el directo y permanente control de la Corona. Esta nueva disposición entró en vigor en el año 1480; el, todavía único, Consejo Real nombró un corregidor para cada ciudad con facultades y funciones muy determinadas. El cargo de corregidor era superior, estaba por encima del burgomaestre y demás autoridades municipales, y su misión consistía sobre todo en vigilar y controlar todas y cada una de las cosas, con voz y voto para todo. Las nuevas facultades del corregidor hacían ya imposible la independencia en los municipios que, a partir de entonces, se vieron sometidos al gobierno central en todos los asuntos de alguna relevancia.

Como bien se ve, los Reyes Católicos se propusieron que la aristocracia y las comunidades fueran rindiendo pleitesía al poder del gobierno. Su conducta frente a las Cortes fue también algo absolutista, pero siempre dependiendo de las circunstancias. El fin de las Cortes representantes del pueblo, por una parte era aceptar o rechazar por votación las propuestas de los soberanos con respecto a las nuevas leyes o medidas[8], y por otra, hacer llegar a los monarcas todas las solicitudes y reclamaciones del pueblo, así como la distribución, conforme a la voluntad de los monarcas, de los impuestos llamados *servicios*. Los Reyes Católicos, alarmados por la importancia que las Cortes estaban adquiriendo, trataron de disminuir su influencia unificando un sistema parlamentario, muy diverso según las provincias, y adoptando una política diferente. El Consejo Real adquirió más y mayores competencias en el ámbito legislativo, evitando así una participación popular que cada vez tenía más fuerza. Y a esto aún queda por añadir que, gracias al ahorro y a una administración más moderada, las rentas de la Corona aumentaron de tal modo que, durante largo tiempo, no hubo más necesidad de exigir los citados *servicios*. Las Cortes tuvieron que reconocer que habían dejado de ser necesarias. En efecto, durante los primeros diez años posteriores a la muerte de Enrique IV, las Cortes fueron convocadas cuatro veces, pero después, transcurrieron quince años seguidos sin que nadie volviera a reparar en ellas.

5.

Orden, paz y unidad en un único reino fuerte e independiente. Ésa era la meta que los Reyes Católicos ambicionaban unificando sus dos reinos. Pero, como veremos, no fue fácil de conseguir. Sobre todo, en el ámbito de la

---

[8] El reconocimiento legal y oficial del sucesor del trono, frecuentemente tratado en nuestra exposición, pertenece también a este mismo ámbito.

política religiosa, regida por esos mismos principios y cuya trascendencia iba a repercutir con fuerza a través de los siglos. Sólo con esta idea, ya podemos tener una visión general de cuáles fueron las culpas (si se puede hablar de culpa) y los méritos, cuáles los anhelos y los logros de esta regia pareja, y también cuál fue su participación en el destino del futuro imperio español.

La política religiosa de Isabel y Fernando perseguía tres fines diferentes. Primero, querían una Iglesia nacional española, es decir soberana autonomía eclesiástica; segundo, querían una Iglesia reformada, que es lo mismo que decir, depurada de toda anomalía en la vida religiosa; y por último, querían una Iglesia unificada, única, es decir, querían eliminar de las fronteras españolas cualquier confesión que no fuera la católica. La idea de una Iglesia nacional independiente de Roma ya se había abierto camino en el siglo XVI en varias naciones europeas, de forma un tanto violenta, porque fue un camino muchas veces regado de lágrimas, cuando no sembrado de ruinas. Pero cincuenta años antes de eso, los Reyes Católicos ya habían recorrido ese camino pacíficamente y sin perjuicio alguno para la Iglesia universal. Ya habían intentado separarse, y con bastante energía, por supuesto en el ámbito *temporalibus*, no en el *spiritualibus*. No en la cuestión dogmática; ellos nunca gritaron «¡fuera Roma!», ni dieron cabida a las dudas, ni pretendieron ser más papistas que el Papa; pero en España se hizo necesaria la independización de Roma en el ámbito administrativo. Los monarcas, conscientes de sus fines, consolidaron su poder y lo cimentaron sobre una Iglesia nacional de tres formas diversas: una, teniendo facultad para nombrar los cargos eclesiásticos, otra, teniendo derecho de apelación en las sentencias del tribunal eclesiástico y, finalmente, teniendo también facultad para desestimar dispensas papales. La primera prerrogativa, es decir, la distribución de los cargos eclesiásticos más relevantes[9], data del año 1482, si bien existe un forzado e irres-

---

[9] Más exactamente: *la presentación de los arzobispados y obispados y prelacías y abadías consistoriales de estos reinos, aunque vaquen en corte de Roma* (*Novísima recopilación*, libro I, ley 14, tit.17).

31

petuoso precedente en el año 1478. Esta regalía era simplemente una sana reacción de los reyes frente a la arbitrariedad de algunos Papas que habían concedido sedes y prebendas a sus favoritos, casi siempre de nacionalidad no española. Isabel y Fernando obtuvieron este privilegio a título personal después de haberlo reclamado haciendo serias y firmes advertencias a la Santa Sede; más adelante, Carlos V solicitó al Papa Adriano VI, su antiguo preceptor, que fuera prerrogativa de la Corona española a perpetuidad. Eso suponía la nada despreciable ventaja de que el clero español dependiera directamente de su rey, como único dispensador de gracias temporales y distribuidor de cargos y rentas. La Curia sólo se reservaba el derecho de confirmación y, como es natural, se guardó muy mucho de hacer objeciones o poner reparos que pudieran entorpecer sus buenas relaciones con los soberanos de España, pues, a pesar de ser éstos tan obstinados en temas irrelevantes, lo cierto era que los monarcas españoles prestaban grandes servicios a la causa católica. La cruzada de Granada tenía peso suficiente para haber sido reconocidos en toda Europa como grandes defensores de la causa de Roma y estandarte de toda la cristiandad; así que, además del inocuo título de *Reyes Católicos* (1494), bien podían ser distinguidos con la concesión de sus deseos de autonomía.

El segundo derecho, de apelación o revisión de sentencias eclesiásticas, fue estatuido irrevocable por Carlos V, pero los Reyes Católicos, además de haberlo instaurado en su reino, ya habían gozado de él en alguna ocasión, sin prestarle demasiada consideración. Este derecho consistía en que los fallos del juez eclesiástico se podían recurrir ante el Consejo Real que, a su vez, tenía facultad para revisarlo y pronunciar su fallo definitivo[10]. Si un juez osaba eludir su responsabilidad o no aceptarlo, era sancionado con severas penas, así que, el Rey, representado por su Consejo, era también máxima y absoluta autoridad jurídica para el clero de su reino.

La tercera prerrogativa, la desestimación de decretos papales, era el más antiguo de los tres privilegios y su inexis-

---

[10] Los procesos de la Inquisición, lógicamente, eran otros juicios diferentes.

tencia hubiera supuesto de hecho un serio perjuicio para los otros dos. Se trataba de un poder del Papa Urbano VI otorgado temporalmente y por necesidad, en tiempos del cisma eclesiástico (a finales del s. XIV), que los Reyes Católicos reclamaron como estatuto legal y permanente en su reino. En virtud de esta regalía, todo decreto procedente de la Curia era detenidamente estudiado con el fin de comprobar que no lesionaba derechos de la Corona ni del país, o que por desconocimiento de la situación en España o por estar mal aconsejado, el Papa pudiera disponer algo que produjera malestar popular o menoscabo de los intereses nacionales. De existir alguna duda al respecto, el decreto no podía entrar en vigor hasta haberse obtenido de la Curia el cambio deseado. Así que de esta forma, el rey también venía a ser una especie de Papa particular de los españoles, y los lazos que le unían a él con su pueblo y a éste con el clero eran mucho más estrechos que en cualquier otro país, incluso tratándose de cuestiones morales.

Esta idea de una Iglesia nacional se vio con muy buenos ojos con relación al deseo existente de una Iglesia reformada. La reina Isabel, ayudada por Cisneros, puso en marcha medio siglo antes de la trágica rebelión de Lucero y de la reforma de la Iglesia católica (llamada Contrarreforma), una seria y esmerada renovación en el interior de la Iglesia, incluyendo la depuración de la vida eclesiástica en el territorio español.

Fraile asceta y de gran sabiduría, Cisneros procedía de familia hidalga. Después de largos años de observancia en la orden franciscana, su amigo y protector Pedro González de Mendoza, cardenal arzobispo de Toledo, buen conocedor de sus méritos, lo envió a la Corte donde enseguida fue nombrado confesor de la reina. Al principio, el buen fraile se resistió, huyendo y permaneciendo oculto por dos veces hasta que finalmente fuera persuadido de que aceptara tan honroso nombramiento. Cisneros no se resignaba a verse privado de la paz y el sosiego de su convento sin más y se entregó de lleno a la evangelización de una sociedad disoluta y libertina esparcida por todo el país, moros y judíos inclusive. Enseguida creció en su ánimo el convencimiento de que era un mero instrumento en las manos de

Dios y, consciente del inmenso campo apostólico que se abría ante él, pletórico de fuerza y de fervor, acometió su empresa. No siempre tuvo éxito, pero tanto por sus virtudes como por sus hechos fue si duda el hombre que el país necesitaba en aquel momento. Su aspecto exterior estaba en armonía con su temple interior. Alto y enjuto de figura, de tez pálida y ojos febriles, la nariz grande y poco noble era ganchuda (sus adversarios la comparaban con la trompa del elefante) y le caía sobre el labio superior también demasiado grande y grueso. Su amplia frente surcada de profundas arrugas se alargaba hasta la calva, más pronunciada aún si cabe por la tonsura franciscana. Amigo de pocas palabras, tajantemente cortaba cualquier conversación ociosa o inconveniente; sin embargo, cuando hablaba, sus palabras tenían la fuerza y el hechizo de un convencimiento al parecer incontestable.

Isabel estaba muy satisfecha de tan valiosa ayuda e insólitamente decidió que lo nombraran arzobispo de Toledo (1495) y, posteriormente, Fernando le obtuvo el cardenalato. Pese a los ochenta mil ducados anuales de su arzobispado y al tren de vida que estaba obligado a llevar, Cisneros continuó siendo el monje asceta y solitario de siempre y nunca dejó de vestir su hábito de franciscano debajo de los ropajes de arzobispo. Pedro Mártir dijo de él, que era Agustín por su aguda inteligencia, Jerónimo por su espíritu de penitencia, y Ambrosio por su celo en la fe.

Aconsejada por Cisneros, la reina se propuso establecer de nuevo el orden y la disciplina dentro del clero. Castigó severamente el concubinato de los clérigos y se preocupó de mejorar la formación de los teólogos más jóvenes que, en algunas ocasiones, carecían incluso del mínimo conocimiento de la lengua latina; ordenó al episcopado permanecer siempre en su sede y les conminó, comprometiéndose ella también en conciencia, a elegir para los cargos eclesiásticos a las personas más dignas e idóneas sin tener en cuenta su linaje, rango o condición. Cisneros, con la aprobación y el apoyo de la autoridad de la reina, entró además de lleno en la reforma científica de la teología. Fundó la universidad de Alcalá de Henares seleccionando con especial esmero la concesión de cátedras, sobre todo, en las lenguas clásicas e incluso orientales, sin las cuales no se podría hacer verdadera ciencia teológica. También inspiró y dirigió la edición de la *Biblia Sacra Polyglota* llamada *Complutense*, proporcionando con ello una sólida y consistente base para el conocimiento bíblico, para el estudio de la teología española.

Ut incipiat divinarum literarum studia hactenus intermortua revisvicere. Con estas palabras en el prólogo de su primer volumen, Cisneros justificaba la aparición de esta Biblia, plenamente convencido de que el abandono de estos estudios, no sólo había perjudicado a la fe y las costumbres de los representantes de la Iglesia, sino que, además, les había dejado incapacitados para contrarrestar con éxito la interpretación herética de las Sagradas Escrituras. (Una de las consecuencias de estas mejoras fue que teólogos españoles de la siguiente generación, que ya habían manejado este instrumento de trabajo, tomaron parte en el Concilio de Trento y superaron con mucho a sus contrincantes de otras naciones, por su rigor en la exactitud y la pureza de sus argumentos.) Para Cisneros, llegar a las fuentes de la Sagrada Escritura era esencial para las correcciones del Antiguo Testamento según el texto hebreo, y del Nuevo Testamento conforme al texto griego. La adquisición de grandes cajas de valiosos manuscritos, el pago a los filólogos, orientalistas y copistas que intervinieron en la obra, la fabricación de nuevos tipos de imprenta, la participación de cajistas alemanes, la propia impresión y todo lo relacionado con ella, implicó una enorme inversión de trabajo, tiempo y dinero. No obstante, Cisneros puso en venta esta edición de seis volúmenes foliados a seis ducados y medio el ejemplar, regalando además buena parte de los 500 volúmenes editados. Esta obra actualmente no responde ya a las exigencias de la ciencia bíblica moderna, por carecer de notas críticas exegéticas, no citar las fuentes de los manuscritos y porque parece no necesitar otras versiones variantes; así, que su valor actual sería discutible. Pero en su tiempo fue una gran obra científico-religiosa, precursora de la *Polyglota* de Amberes editada gracias al mecenazgo de Felipe II. Hoy en día, aún conserva el honor de ser la *editio princeps* del Nuevo Testamento. La reina doña Isabel, por desgracia, no llegó a ver terminada esta gran obra que con tanto entusiasmo e interés había promocionado.

Cisneros no se conformó con aquella renovación de los estudios teológicos y quiso llevar a cabo un gran cambio tanto en la vida religiosa como en la moral y las costumbres de todos los estratos sociales del país. Quiso ennoblecer y purificar sus mentes de los efectos perniciosos de lecturas de baja estofa, sustituyendo los frívolos y nocivos libros de caballería, que sus contemporáneos leían como entretenimiento, por otras lecturas mucho más selectas. Con ese fin facilitó la traducción al español de obras literarias selectas y su posterior publicación, editando obras asequibles por poco dinero y que incluso él mismo regalaba con frecuencia: *Cartas* de la mística Catalina de Siena, las Obras de Angela de Foligno y de la abadesa Mechthildis, la *Perfección cristiana* de Juan Clímaco, *Reglas de vida* de Vicente Ferrer, la *Vida de Cristo* del cartujo Landolfo y una biografía del arzobispo Tomás Becket de Canterbury. Pero además de estas grandes empresas editoriales, Cisneros también puso interés y especial empeño en reformar la vida de las órdenes religiosas. Los conventos, tanto de hombres como de mujeres, de franciscanos, agustinos, carmelitas y dominicos pasaron por esas reformas. Si Cisneros no hubiera preparado antes el camino, la gran Teresa de Ávila difícilmente habría podido hacer su reforma del Carmelo cincuenta años después (1562). Los franciscanos, sus hermanos en religión, fueron los que le pusieron más dificultades. Divididos por aquel entonces en dos ramas, los observantes o más austeros por una parte, y los conventuales o moderados por otra, estos últimos pretendieron impedir la acción del incómodo reformador con una fuerte resistencia pasiva y también acusándole ante el Papa con falsas sospechas. Pero Cisneros, con el auxilio de la reina Isabel, pudo superar, una vez tras otra, la dejadez por parte de Roma hasta lograr que la rama conventual, salvo alguna rara excepción, fuera también observante. Las reformas de la archidiócesis toledana, cuya cabeza era el propio Cisneros, se llevaron a cabo con máximo rigor. En los años 1495 y 1498 se celebraron dos sínodos diocesanos, después de los cuales se promulgó una larga serie de medidas muy convenientes y meritorias. Algunas de esas disposiciones fueron la introducción de clases de catequesis para los niños los domingos por la tarde y una breve explicación del Evangelio del día en una homilía durante la Misa de los domingos. Y Cisneros dispuso también el registro de todos los bautizos en cada parroquia; con ese registro se evitaron los certificados falsos de identidad de los hombres de su época y se prestó un gran servicio a la Historia en el futuro. Ésta era la Iglesia reformada que la reina Isabel y el cardenal Cisneros habían proyectado. Pero nosotros queremos completarlo con un par de aclaraciones. Por un lado habría que explicar que cuando se habla de la reforma de la vida eclesiástica y religiosa en España, solamente son citados la reina Isabel y el cardenal Cisneros, pues el rey don Fernando se limitó a una pasividad muy propia de su temperamento, conformándose con pronunciar su *placet*, muy satisfecho siempre con todas aquellas innovaciones. Y por otro lado, justo es también decir aquí, que esta reforma de la Iglesia emprendida por la reina Isabel y Cisneros, inculcó al mismo tiempo en el pueblo español unos principios fundamentales que otros países desconocían, como por ejemplo Alemania a principios del siglo XVI, cuando tuvo que hacer frente a una revolución religiosa como la de Lutero. Si en los pueblos al norte del Pirineo se hubieran reformado las Iglesias como en España, sin duda alguna Lutero, Zwinglio y Calvino habrían predicado a sordos. Nosotros en Alemania opinamos de distinto modo, cosa que hacemos con frecuencia, con respecto a esto. Algunos piensan que fue una suerte para nosotros que una luz de salvación se iluminara sobre nuestras cabezas, mientras que otros opinan que seguramente sin esa luz, en Alemania seguiríamos siendo hermanos caminando todos unidos con paso mesurado a través de los siglos y formando un único pueblo. Seguramente se hubieran evitado ríos de sangre humana y no se hubieran perdido lamentablemente un sinfín de valores espirituales y materiales.

La Iglesia española nacional, con soberana autonomía y reformada al estilo católico-español, habría sido un modelo incompleto para su rigurosa organización sin el carácter impreso de Iglesia única y absoluta, como última perfección. A los soberanos les parecía que para la unión política y popular era esencial la unidad de fe y una sola religión estatal; eso era fundamental para la consolidación del reino. Pero Isabel y sus consejeros monásticos (Talavera, Cisneros, Torquemada) aún tenían otro íntimo deseo. Su ferviente celo por la fe hacía que estuvieran convencidos de que empuñaban la espada de Dios como adalides de la Cruz y defensores de la cristiandad. Y además de todo esto estaba el instinto de conservación de la raza. Porque aquella persistente amenaza de propagación judía y mahometana en un pueblo gótico-ibérico y los inevitables trastornos socio-económicos, sólo podrían desaparecer con la práctica de medidas correctivas muy estrictas. Consecuentemente, aquella lucha contra moros y judíos que en un principio era por profesar una religión diferente, acabó siendo por pertenecer a una raza diferente.

La animadversión contra los judíos llegó en la Edad Media a tal punto que en varias ciudades españolas hubo numerosos actos de violencia, saqueos e incluso matanzas. Sin embargo, las denuncias contra aquellos forasteros eran de tal índole que, de ser cierto sólo la mitad de lo que denunciaban, habría motivo suficiente para entender tanto desafuero. Los judíos, por ejemplo, hacían préstamos de dinero a ciudadanos sencillos o importantes cobrando elevadísimos intereses, como hacen los auténticos usureros. Ponían su dinero a buen recaudo llenando sus arcas y cofres de monedas de oro y de piedras preciosas, al tiempo que se burlaban menospreciando la pobreza y escasez que los cristianos estaban obligados a vivir. También había denuncias de que los judíos se negaban a hacer trabajos nobles, para poder dedicarse solamente a cuidar de sus negocios y que éstos continuaran prosperando con pingües beneficios. De modo que el dinero y las riquezas de los españoles iban pasando, poco a poco, a manos judías y éstos hacían venir a España a otros muchos de sus correligionarios. Se fueron quedando con las tierras que los nobles habían tenido que hipotecar y así seguían acumulando bienes y propiedades y haciéndose dueños de todo; la mayor parte de la población rica de las ciudades era judía. También se aseguraba que los judíos eran capaces de perjurio, si el juramento les beneficiaba en algo, y que no dudaban en vender incluso veneno e intervenir en cualquier tipo de artimañas. Más aún, existen pruebas al parecer, de que también profanaban el culto cristiano; profanaron objetos religiosos y ritos cristianos, cometieron sacrilegios con la Eucaristía y destrozaron crucifijos. Denunciaron, también, que sacrificaban niños cristianos para celebrar su Pascua, que hacían juegos de manos con su sangre, que practicaban la circuncisión de la ley mosaica no sólo a sus hijos y esclavos, sino que también circuncidaban a sus criados y servidores en general. Otros contaban que, cuando los judíos tenían tratos o negocios con los cristianos, les obligaban a guardar las costumbres talmúdicas en comidas y en formas de vida, les obligaban a acatar la ley judaica. Esto mismo explica, por otra parte, que a pesar de tanta tropelía hubiera muchos cristianos *judaizantes,* es decir, muchos cristianos que poco a poco se fueron contagiando y simpatizaban con las costumbres de la religión judía. Aunque los sacrificios de niños antes citados y otros parecidos, puedan sonar a fábula popular, lo que sí se puede decir con absoluta certeza es que existía el peligro de que Judá tratara de extender su reino e instaurar un judaísmo nacional sobre las ruinas de un dominio árabe, ahora cristiano, en España. En cuestión de religión y nacionalidad, se trataba de ser o no ser. Tanto los concilios nacionales como las Cortes de los distintos reinos, decretaron y promulgaron por separado diversas disposiciones especiales cada vez más severas y represivas contra la población judía. Anteriormente, en el siglo XIV, el dominico Vicente Ferrer había conseguido conversiones masivas de judíos al cristianismo; pues bien, los judíos conversos también estuvieron sometidos a las nuevas leyes decretadas en los años 1405 y 1406 en Castilla y después también en Aragón, Valencia y Portugal. Eran unas leyes realmente duras contra los hijos de Israel, que les impedía o les ponía serias dificultades para ejercer cualquier actividad civil. No obstante, a pesar de tanta contrariedad, las conversiones al cristianismo seguían aumentando. Una posible explicación podría ser que los judíos conversos amasaban riquezas y, al ser reconocidos oficialmente cristianos, su fortuna les abría muchas puertas a cargos honoríficos o de cierto relieve, llegando incluso a contraer matrimonio con familias de rancio abolengo. A principios del reinado de Felipe II, apareció un libelo titulado *Tizón de España*, falsamente atribuido a Francisco de Mendoza y Bobadilla, arzobispo de Burgos (1566), que sin demasiado fundamento publicaba los nombres de las principales familias contaminadas por sangre judía. La lucha por la *limpieza de la sangre* cristiana, el afán de tener sangre incontaminada, aquel orgullo de ser de sangre cristiana que tan tenaz y apasionadamente dominara en España durante los siglos XVI y XVII, influyó mucho a la hora de distribuir cargos y conceder honores. Eso dio motivo a que se practicaran interminables y complicadas verificaciones de la pureza del árbol genealógico y de mil modos distintos fue también tratado en muchos dramas y novelas de forma muy crítica y satírica, llegándose incluso a decir que todo aquello era simplemente una de las actividades de la Inquisición. Todo esto tuvo su origen en la judaización del pueblo español durante el siglo XV.

Los conversos por conveniencia, llamados «marranos» por el pueblo[11], eran orgullosos y engreídos y, por tanto, no tenían inconveniente en confesar públicamente que, entre sus cuatro paredes, ellos seguían celebrando celosamente sus ritos judíos y sus hijos y nietos bautizados, también los seguirían celebrando eternamente. Nadie, por supuesto, se había hecho demasiadas ilusiones sobre la sinceridad de la conversión de aquellas gentes, pero sí se tenía la esperanza de ir ganando poco a poco para el cristianismo a todos sus descendientes; eso sería una forma pacífica de poder extinguir el judaísmo. Pero no fue así, esas esperanzas se vieron totalmente frustradas. Hubo que nombrar un tribunal de justicia especial para esos casos. Los clérigos dieron el primer paso. Los dominicos Alonso de Ojeda y Diego de Merlo, junto a Nicolo Franco, nuncio de Su Santidad, apremiaron a la reina a nombrar un tribunal de justicia mixto –eclesiástico y secular–, con facultades

---

[11] El pueblo les llamaba «marranos». Munzer dijo de ellos, lisa y llanamente: *Marrani, id est ficti Christiani, intus Judaei.*

para proceder contra aquellos falsos conversos notoriamente simulados. Así que el día 1 de noviembre de 1478, solicitado por los Reyes Católicos y mediante una bula del Papa, en España nació una nueva Inquisición, distinta de la anterior –la Inquisición papal para el caso de los dominicos–, pero que ya estaba vigente en Aragón, Cataluña y Valencia desde hacía largos años. Estos nuevos inquisidores recibieron un encargo: su misión consistía en perseguir y castigar a los cristianos rebeldes y a los «marranos», pero su jurisdicción no alcanzaba a los judíos no bautizados.

Fueron tantas las apelaciones interpuestas a Roma en los primeros años de actividad inquisitorial, que se hizo necesaria la figura de un juez supremo nombrado por el Papa y con sede en España. Este cometido fue adjudicado con un nuevo nombramiento, el de Inquisidor general. La encomienda era un privilegio papal sólo en apariencia, o mejor dicho, sólo parcial, pues se limitaba a un *Breve* apostólico en virtud del cual se otorgaba la autoridad eclesiástica jurisdiccional, pero la persona para ser nombrada titular era propuesta por la Corona. Si la propusiera o nombrara el Papa, éste podría elegir a un hombre que no fuera del agrado de los soberanos y verse después casi forzado a sometimiento, por las protestas e intimidaciones de los monarcas. Y así se nombró al primer Inquisidor general, el prior de los dominicos, Tomás de Torquemada, nombrado sólo para Castilla en agosto de 1483, pero a partir de octubre del mismo año, también para Aragón, Cataluña y Valencia. Torquemada era un hombre tan temeroso y enamorado de Dios, como severo y exigente consigo mismo a la hora de hacer penitencia. Cumplió su encargo no como un servicio al Estado, sino como una cruzada de la fe. Mucho más que la supresión de los actos delictivos, sociales o morales, le importaba la salvación de las almas. Para los que eran contrarios a la idea de Inquisición en aquellos tiempos, el nombre de Torquemada se convirtió en truculento sinónimo de fanatismo e intolerancia, y aún en nuestros días ese nombre sigue vinculado a una serie de horripilantes cuentos llenos de patrañas. La Inquisición sirvió para proteger al pueblo, a la moral y la economía del país contra un cristianismo que sólo era fingido y un judaísmo secretamente mantenido; pero, como ya hemos visto, no podía ejercer su autoridad sobre los judíos sin bautizar, sobre aquellos judíos que no deseaban convertirse y perseveraban en la religión de sus antepasados. Los «marranos», claro está, veían en ellos garantizada la custodia de la antigua Ley judía. Por lo tanto, para que hubiera paz y unidad nacional era menester solucionar definitivamente la cuestión judía y lamentablemente hubo que cortar hasta el último de sus vínculos. Los Reyes Católicos reunieron fuerzas para tomar una decisión definitiva, animados por el sabor de la conquista de Granada. Aquella victoria final sobre un pueblo enemigo de la fe y de la raza hispánica, les dio el valor que necesitaban para asestar un duro golpe a los judíos no bautizados. El 30 de marzo de 1492, firmaron los Reyes Católicos en la Alhambra un decreto de expulsión de la población judía sin convertir ni bautizar. Este decreto debía ser acatado en un plazo de tres meses. El real decreto autorizaba a los implicados a vender todos sus bienes y llevarse el producto de la venta en forma de enseres o mercancías, pero con prohibición expresa de sacar el oro y la plata fuera del país. Según los cálculos de sus contemporáneos, se marcharon unas 36.000 familias. Aquel nuevo éxodo de los judíos provocó en el pueblo español más gestos de compasión y misericordia que de amargo endurecimiento o crueldad. Hubo pocas conversiones de última hora. Sin embargo, el número de judíos convertidos al cristianismo que, siendo hijos de Israel se quedó en el país, fue mucho mayor que el número de expulsados. Y esos hombres dejaron una impronta judía en la raza ibérica nada despreciable, a pesar del transcurso del tiempo y de varias generaciones ya asimiladas al cristianismo. En cambio, no así los historiadores modernos que nunca creen haber subrayado suficientemente los enormes daños que Isabel y Fernando ocasionaron a su país con la expulsión de un pueblo tan valioso, trabajador y buen comerciante como el judío; ésos no dejan ninguna impronta. Pero además olvidan algo importante: de haberse quedado en España, los judíos habrían explotado impunemente sin ninguna traba los cuantiosos beneficios del descubrimiento de América, hasta encumbrarse y convertirse en primera potencia financiera del mundo. Si las riquezas de las colonias caen en manos judías es seguro que ellos habrían creado una internacional del oro y Europa difícilmente hubiera podido nunca liberarse de esas cadenas. Y como tampoco faltan los que sostienen que la expulsión de los judíos sólo pudo hacerse por un fanatismo genuinamente católico-romano, hemos de recordar aquí que Martín Lutero también mantuvo una insólita y encarnizada lucha contra el pueblo judío y su religión. En 1536, el elector Federico de Sajonia decretó a instancias de Lutero la expulsión de todos los judíos de su territorio. En sus obras *Von den Juden und ihre Lügen* (1542), *Vom Schem Anphoras und dem Geschlecht Christi* (1542) y *Von den letzten Worte Davids* (1543), Lutero dirigió palabras rebosantes de obscenas groserías, llenas de odio implacable a los israelitas en Alemania y haciendo un apasionado llamamiento al uso de la violencia contra ellos. En su último sermón en Eisleben, el 14 de febrero de 1546, Lutero, enardecido, predicaba: «No tenemos que aguantarles, sino expulsarles». Y es de todos bien conocido que el general Ludendorff, que fuera famoso durante la guerra mundial pero posteriormente olvidado, en sus mejores tiempos fue un enemigo acérrimo de jesuitas, masones y... judíos.

En el reino español, en su raza y religión había aún otro cuerpo extraño: los moros. La capitulación de Granada permitía a los moros conservar sus leyes y la libertad de confesión. El conde de Tendilla supo ejercer con sabia moderación su papel de virrey, y el entonces recién nombrado arzobispo Fernando de Talavera, judío converso en su origen y predecesor de Cisneros en el confesonario de la reina, lleno de paternal ternura y mansedumbre, también hizo cuanto estuvo de su parte para evitar las controversias religiosas. Si un moro deseaba convertirse, sea bienvenido; pero a nadie se obligaba. Los moros no hablaban español, así que Talavera estudió árabe e hizo que su clero pastoral también lo aprendiera. Mandó publicar una pequeña gramática hispano-árabe y encargó la traducción al árabe de los puntos más relevantes del catecismo, la liturgia y de algunos pasajes del Evangelio. El interés era el mismo por parte de los profesores, que de los alumnos.

43

Muchos moros se vieron movidos por aquella benevolencia a hacer lo que nunca hubieran hecho por presión o violencia: convertirse al cristianismo. Sin embargo, la Corte española no estaba plenamente satisfecha con aquellos resultados. Era una cristianización demasiado lenta. De seguir así, no llegarían nunca a ver una Iglesia única. Cisneros, hombre de acción, debería ver cómo están las cosas. Y Cisneros vio y decidió atajar el camino con la misma sangre fría que empleara en sus anteriores reformas. Reconoció enseguida los buenos resultados conseguidos pese a la suavidad de Talavera, pero él estaba plenamente convencido de que para extinguir definitivamente el islamismo hispánico como confesión en un futuro próximo, se requería mayor firmeza, adoptar medidas mucho más rigurosas. Así que convocó a los alfaquíes –doctores en la ley del Corán– y, además de explicarles el Evangelio, les hizo ver dónde se encontraban los errores de su fe. Luego les obsequió con ricos presentes y buenas promesas y, en breve tiempo, Cisneros tuvo la enorme satisfacción de ver convertidos a un buen número de aquellos doctores de la ley musulmana. Posteriormente y conforme a la psicología de masas, muchas familias siguieron el ejemplo de sus alfaquíes y se convirtieron al cristianismo de forma vertiginosa. Cisneros llegó a bautizar tres mil moros en un solo día, esparciendo agua bendita con un gran hisopo sobre una muchedumbre arrodillada, mientras las campanas de todos los alminares musulmanes, ya convertidos en iglesias y capillas, repicaban sin cesar durante todo el día. Los moros, cristianos neófitos, entusiasmados, concedieron a su nuevo apóstol el honorífico sobrenombre de *alfaquí campanero*. Pero este indiscutible éxito llevó a Cisneros a cometer graves errores. Para empezar, mandó retirar todos los ejemplares del Corán y de libros de cultura general y religiosos que los moros poseían y utilizaban con frecuencia y después envió los de medicina a la universidad de Alcalá de Henares; el resto fue quemado en una hoguera en la plaza pública. Este *auto de fe* que se hizo con los manuscritos árabes es, incluso para nuestros días, una irreparable pérdida para la cultura y la ciencia, pero sobre todo, los moros lo interpretaron en su momento como un menosprecio a su religión; aquello contradecía los tratados firmados en la capitulación de Granada. La consecuencia inmediata fue una rebelión por parte del pueblo musulmán. La reina Isabel no podía salir de su asombro y consternación, mientras el rey Fernando, para quien Cisneros no era santo de su devoción, exclamó muy airado: «¿Acaso se propone este fraile destrozar en un solo día, lo que nosotros hemos levantado en diez años?». Cisneros fue llamado a capítulo y, en presencia de los Reyes, se justificó valientemente y con encomiable frialdad. Cisneros no se hacía responsable del motín; él sólo había actuado queriendo lo mejor para el país y, después de lo acaecido, creía muy necesario actuar enseguida con mano férrea y llegar hasta el fin. Ahora o nunca. Era una ocasión óptima para eliminar el islamismo del territorio español y llevar a feliz término la tan deseada unidad política y religiosa. La ley aplicada a los judíos serviría también para ser aplicada a los moros. Y los Reyes Católicos se dejaron convencer.

Un severo y estricto tribunal procesó a los rebeldes y eso provocó nuevas y más sangrientas rebeliones, hasta acabar en una guerra en los montes de las Alpujarras. Después de una larga y fuerte resistencia por parte de los musulmanes, el ejército cristiano, superior en número y en estrategias, logró finalmente reducirlos y, como resultado final de todo ello, el 12 de febrero de 1502 se firmaba un edicto contra los moros no convertidos del territorio de Castilla y León, muy semejante al edicto que en 1482 se firmara para expulsar a los judíos. La cuestión que se planteaba era simplemente bautismo o destierro, no había otra alternativa. En Aragón todo fue mucho más rápido, sólo cuestión de tiempo; Carlos V los expulsó de golpe. Así como el judío prefiere sacrificar la patria en aras de la fe, el moro sacrifica la fe en aras de la patria. Es decir, hubo conversiones masivas; la gente casi asaltaba las iglesias y una vez más hubo que utilizar el hisopo en vez de la pila bautismal. Después de esto, de un plumazo quedaba establecida la unidad religiosa en la mitad más importante del reino. A estos moros en lo sucesivo se les llamará «moriscos». Y tal como antes sucediera con los judíos, en este caso tampoco había grandes ilusiones de que los seguidores del Profeta obligados a convertirse llegaran a ser buenos cristianos convencidos; se tenía una remota esperanza de que el cristianismo arraigara definitivamente en los corazones de sus descendientes. Así, de una forma lenta pero segura, el islamismo se podría ir extinguiendo por sí solo. La Inquisición se encargaría en esta ocasión de que los moriscos cristianos sólo en apariencia, no pudieran seguir tejas abajo y solapadamente las prácticas de su antigua religión. Nosotros ahora no queremos ni defender ni criticar tal procedimiento, únicamente queremos verlo a la luz y con el espíritu del siglo XVI. Si alguno sintiera cierta indignación juzgando la ética española de aquellos tiempos, debería repasar y hacer un estudio serio de la Reforma en Suiza o Inglaterra, por ejemplo, porque en su lectura encontrará conversiones por coacción que, comparadas con las conversiones en España, nos harían pensar que la solución y la actitud tomada por los Reyes Católicos frente a moros y judíos fue un simple juego de niños.

Para mejor entender la época ya próxima de Carlos V y Felipe II, conviene recordar que, en la cuestión política y religiosa, siguieron un camino emprendido por sus antecesores los Reyes Católicos con la ayuda del cardenal Cisneros. No sólo en lo referente al gobierno interno de la Iglesia, sino a su actitud y a la de todo el pueblo frente al Papa en la Contrarreforma. Los dos reyes lo habían heredado de sus egregios antepasados.

6.

Estando el siglo próximo a su fin, los Reyes Católicos pudieron contemplar los resultados de sus veintiséis años de incesante trabajo en servicio de un estado creado por ellos, veintiséis años de éxitos y progresos incomparables. Aquel reino deseado ya estaba fundado y consolidado. Pudieron crear una España única y fuerte con acatamiento por parte de la nobleza, sometimiento por parte de los infieles y con el descubrimiento de un nuevo mundo. Pero el futuro seguía siendo inseguro; en el seno familiar no pudieron gozar de la misma paz y felicidad que tan ostensiblemente brillaba sobre sus dominios.

El regio matrimonio se vio bendecido con un hijo y cuatro hijas, pero sobre estos hermanos se cernía una dolorosa tragedia. Isabel murió poco después de su casamiento con Manuel I de Portugal; Catalina fue a Inglaterra donde, después de enviudar, contrajo segundo matrimonio con Enrique VIII y sufrió el martirio; a Juana le esperaban varios años de desavenencias conyugales y un triste final: demencia mental; solamente María, que sucedió a su hermana Isabel, tuvo la dicha de vivir felizmente casada y dar al imperio a la que luego sería emperatriz y esposa de Carlos V; y Juan, único hijo varón de los Reyes Católicos, murió de muerte súbita el 4 de octubre de 1497 a los diecinueve años de edad, después de siete meses casado con Margarita de Austria. Algunos médicos achacaron esa muerte a las frecuentes y apasionadas relaciones conyugales y Pedro Mártir, antiguo amigo y profesor, ilustró esa insólita historia añadiendo que la reina Isabel se negaba tozudamente a escuchar el consejo de los galenos, diciendo: «*No separéis a los Príncipes, que lo que Dios ha unido no debemos separarlo los hombres*». Fuere lo que fuere la causa de su muerte, lo cierto es que la familia real siempre tuvo por acertada esta última versión, pues el propio emperador Carlos V en las instrucciones que dejara a su hijo Felipe en el año 1543, le recordaba ese asunto para que le sirviera de saludable escarmiento. Nunca sabremos si la temprana muerte de este príncipe fue suerte o desdicha para España. Jerónimo Münzer que le conoció a la edad de diecisiete años, explica que el heredero del trono no tenía la lengua expedita para hablar con soltura[12]. Ese defecto unido al del labio inferior demasiado grueso y caído y la misteriosa muerte súbita, más las escasas probabilidades de vida del hijo que había engendrado, nos permite deducir que las cosas no iban demasiado bien ni en su físico, ni en su espíritu. ¿Era él también portador en su cerebro como su hermana Juana, del hereditario germen de la locura? ¿Era él

---

[12] *Blesus est et inferius labrum extensum, et linguam suam nondum correxit, ut expedite loquatur.* (*Itinerarium*, 131).

también, como después lo fuera don Carlos, raquítico y limitado? No lo sabemos. Pero quizá fuera afortunado el hecho de que al aproximarse el nuevo siglo, se extinguiera desde sus inicios algo que, sesenta años después, hubiera podido acabar en una dolorosa y triste tragedia para los herederos de la Corona. Con la muerte de este infante don Juan, moría el último sucesor directo del trono en la dinastía española. Efectivamente, dos meses después de su muerte, su esposa daba a luz un hijo póstumo que apenas nacido pasó a mejor vida. Por lo tanto, su hermana mayor esperaba recibir esa herencia para Portugal, de donde ya era reina; pero en agosto de 1498, ella también moría prematuramente. El derecho sucesorio recaía por tanto, en Miguel, el pequeño infante de Portugal que en julio de 1500, a la tierna edad de veintidós meses, seguía el mismo camino que su madre. Por un triste sino, en el breve plazo de cuatro años, habían desaparecido cuatro sucesores al trono. Parecía como si la muerte hubiera querido abrir paso, de forma violenta, a una nueva dinastía extranjera. Con la muerte de don Juan quedó acordado un nuevo casamiento que durante dos siglos iba a dejar al Imperio en manos de la casa de Habsburgo: Juana, la segunda hija de los Reyes Católicos, contrajo matrimonio en octubre de 1496 con el Archiduque Felipe de Austria, primogénito del Emperador Maximiliano I de Alemania: era Felipe el Hermoso.

II
LA TRAGEDIA EN TORNO A JUANA

La hija de Isabel y Fernando se casa con Felipe el Hermoso, heredero de los Países Bajos. España va a caer en la esfera de influencia de los Habsburgo. - El Estado y la Corte, población y costumbres de las provincias neerlandesas. - Desavenencias en el matrimonio de Juana y Felipe el Hermoso. - Viaje de los esposos a España, cruzando Francia. - Vuelta prematura de Felipe a los Países Bajos, con un gozoso intermedio en Innsbruck. - ¡Mi Austria querida! - La desesperación de Juana. - Atroz entrada en el Castillo de la Mota. - Primeros signos de ofuscación mental. - Reencuentro con su esposo en Bruselas. - Comienzan los escándalos producidos por los celos. - La dama de la Corte, maltratada. - Las esclavas marcadas. - El continuo lavado del cabello. - Un paso más hacia la locura. - Muerte temprana de la reina Isabel, su madre. - Fernando y Felipe el Hermoso discuten la herencia del trono. - La travesía de los esposos desde los Países Bajos a España pasando por Inglaterra, una aventura. - Desconfianza y contrato simulado entre los reyes rivales. - El embrutecimiento creciente de Juana. - Muerte repentina de Felipe el Hermoso. - Retrato de su carácter. - ¿Quién es culpable de todo esto? - Juana se derrumba totalmente. - La psyche de la reina loca. - El empeoramiento de su negligencia. - Un cadáver itinerante. - Anarquía en el país. – Fernando, un salvador teatral. – Fracasa la posible unión matrimonial de Juana con el rey de Inglaterra. - La relación de Juana con sus hijos. - Su retiro definitivo. - La vida en el castillo encantado. - El cadáver itinerante llega a su destino final. - Muerte del rey don Fernando. - El príncipe Carlos, su heredero. - Una visita muy preparada a su madre. - El aventurado rapto de su hermana pequeña. - Juana y los comuneros. - Agravamiento del trato recibido y empeoramiento de su salud. - Un largo martirio y su consolador final. - Juana según la opinión de la psiquiatría.

Por el profundo e infinito espacio discurren multitud de astros, luminarias de Dios, instrumentos bienaventurados tañidos por el Creador. Todos pletóricos de felicidad, Dios quiere un universo feliz. Sólo uno entre ellos, no comparte esa suerte; el hombre ha sido creado en él.

EGON FRIEDEL

1.

Volvamos ahora nuestra mirada a las provincias de los Países Bajos, cúmulo de espléndidas ruinas en el parcelado imperio de Carlomagno, a causa de guerras y repartos territoriales. En el año 1363, Juan rey de Francia, enfeudó a su hijo Felipe el Atrevido con el ducado de Borgoña. Felipe recibió además por vía matrimonial el condado de Flandes con sus prósperas ciudades de Gante, Brujas, Douai y Tournai, y años más tarde y también por vía matrimonial, sus descendientes aumentaron aquel pequeño ducado hasta darle categoría de Estado. Cuando Carlos el Temerario, último príncipe de linaje borgoñón, lo recibió en herencia y hubo de gobernarlo (1467-1479), el Estado de Borgoña comprendía también los ducados de Brabante, Luxemburgo y Limburgo, los condados de Flandes, Artois, Henao, Holanda, Zelanda y Namur, y los señoríos de Malinas, Oberyssel y Maastricht. Además de no parecerse nada entre ellos, exteriormente estaban divididos por el territorio de Lorena e interiormente por lenguas, intereses y formas de vida muy diferentes en cada una de sus provincias.

51

Sin embargo, el Estado borgoñón formaba una unidad homogénea tanto en industria y comercio como en el bienestar de sus ciudades, muy densas de población. Tenía la fuerza y el vigor de una ciudadanía orgullosa del carácter democrático y la popularidad de un digamos *primus inter pares* soberano gobernante y de los múltiples Estados provinciales, que le hacían ser considerado uno de los países más productivos y distinguidos de occidente. Tanto Francia como los Habsburgo lo contemplaban con cierta codicia y según conviniera lo cortejaban o luchaban contra ellos con alianzas e intrigas, porque el Estado de Borgoña era el fiel de la balanza que equilibraba Europa y cuando se inclinaba a favor de alguien, éste tenía asegurada durante siglos la supremacía sobre sus rivales. La ambición de Carlos el Temerario aspiraba a un dominio lorenés que se extendiera desde Holanda hasta las fronteras del Estado de la Iglesia romana, pero para eso tenía que empezar por conquistar Lorena, Provenza y Suiza. Para esa gigantesca empresa se requería ayuda y una alianza con los poderosos Habsburgos, que ya habían contribuido en Europa dando un rey a Roma y un emperador a Alemania. A lo que Carlos realmente aspiraba en lo más íntimo de su corazón, era a la unión de esas dos coronas sobre su cabeza. Pues bien, esa alianza entre Borgoña y Habsburgo fue sellada por un matrimonio que fue decisivo: María, hija y heredera de Carlos el Temerario, contrajo matrimonio con Maximiliano de Austria, hijo del emperador Federico III. Pero la realización de estos ambiciosos planes se vio frustrada por la inesperada muerte del temerario borgoñón cerca de Nancy, en 1477, en un combate en Lorena. Con su muerte y la de sus leales amigos, moría también aquel sueño de hacer de Francia y Alemania, una sola y única gran potencia. En cambio la casa de Habsburgo salió ganando con aquel infortunio. El matrimonio de Maximiliano y María había sido bendecido con un hijo varón al que llamaron Felipe y que, con el paso del tiempo, recibiría el sobrenombre de el Hermoso. María, su madre, perdió la vida siendo muy joven aún, de una caída del caballo (1481), y su hijo pasó a ser el único heredero del Estado de Borgoña. Con esto, los planes que tenía Francia de ejercer su hegemonía sobre

Europa central se frustraban, pero a pesar de eso, los Habsburgo la seguía considerando un poderoso rival e irreconciliable adversario.

Maximiliano adoptó una prudente táctica de acercamiento en defensa de una eventual estratagema de los franceses, buscando una estrecha y doble unión familiar con los reinos de Aragón y Castilla, por aquel entonces ya unidos y muy poderosos. Juana, hija de los Reyes Católicos, contrajo matrimonio con el joven soberano de Borgoña, al tiempo que Margarita, la hermana de éste, concedía su mano a su hermano Juan, heredero del trono español. A partir de aquel momento, España adquirió gran relevancia en la historia universal. España pasaba a ser el centro de una constelación de potencias y países europeos, y su categoría ascendía a la de gran potencia occidental. La muerte se había llevado en muy poco tiempo a cuatro herederos de la Corona española. Pero respetó a Juana, entonces hija mayor de los Reyes Católicos, duquesa de Borgoña y esposa de Felipe el Hermoso, y esta mujer recibió una herencia territorial jamás soñada. El futuro rey de España iba a ser un Habsburgo, así que a partir de entonces, España tendría un permanente y temible enemigo: Francia.

2.

Felipe el Hermoso y su esposa residieron en Gante y Bruselas. Un repaso a los rasgos característicos típicamente neerlandeses del esposo y del pueblo y país que ellos gobernaban, nos ayudará a comprender mejor la suerte de dificultades que la joven doña Juana tuvo que superar para aclimatarse y sentirse un poco a gusto en su nueva patria. En los Países Bajos, el territorio estaba políticamente dividido en diecisiete provincias o pequeños estados poblados por ciudadanos de diferentes nacionalidades. En el sur se encontraban los belgas descendientes de celtas y romanos, subdivididos a su vez en valones en la cuenca del Mosa, y flamencos en la del Escalda; y en el norte los frisones descendientes de los germanos y sajones que antiguamente dominaran el territorio de Batavia. Esa primera división dio lugar a que en todas las provincias hubiera, desde hacía varios siglos, una complicada mezcla de lenguas que en el año 1500 aún seguía predominando, aunque no en toda su pureza. La unión entre todas esas provincias, lógicamente, era muy débil y dar con un nombre apropiado y común a todas no fue empresa fácil. Primero fueron llamadas Flandes o Brabante y más tarde Baja Alemania o Bélgica. En Flandes había ciudades muy bellas como Brujas, Gante, Ipern, Courtrai, Termond, Nieuport, Dixmuiden, Ostende y Gravelines. Flandes fue el nombre que perduró durante más tiempo.

Flandes fue también el nombre que los españoles utilizaron durante varios siglos a partir de su dominación, muy admirados siempre ante las inusitadas sorpresas que aquel país les tenía reservadas. En aquellas tierras no crecían el romero, espliego ni tomillo; no había sauces, ni tampoco cipreses; tampoco había olivas, albaricoques, higos, y no se conocían las almendras, ni había huertos de melones; el perejil, la cebolla y las lechugas cuando las había carecían de sabor, y para sazonar sus guisos, tenían que utilizar manteca en sustitución del aceite[13]. Pero todos esos infortunios eran fácilmente olvidados al contemplar el verdor y la belleza de sus frondosos árboles; había hayas, pinos, olmos, chopos, encinas, provincias enteras que parecían bosques. Los españoles se admiraban sobre todo ante los múltiples ríos y arroyos, pequeñas lagunas, o los brazos de mar que se adentraban en la tierra, tantos canales cruzando el país en todas las direcciones y fertilizando aquellas maravillosas tierras con su humedad. Algo que les dejó especialmente maravillados fueron las gallinas. En Flandes las gallinas eran gordas y muy pesadas, pero movían las alas como los pájaros y podían alzar el vuelo con facilidad; se subían a los árboles y tejados y no se podían coger hasta que regresaran a sus gallineros, de noche. Otro aspecto asombroso también, comparado con lo acostumbrado en España, era la densidad de su población y la diferencia de sus razas –germánica o romana–, pero esto último además de producirles asombro les obligó a aprender otras lenguas. Los espa-

---

[13] VÁZQUEZ, ALONSO, 459 ss.

ñoles tuvieron que acostumbrarse a manejarse en varias lenguas sin salir de su propia casa: francés, alemán, flamenco e incluso latín.

La independencia de que cada una de las provincias gozaba también imposibilitaba una concentración de fuerzas espirituales, económicas o materiales, y no había una capital ni un ideal común a todas. Malinas de Brabante era la ciudad parlamentaria, sede del alto funcionariado, de los tribunales de justicia, de abogados, de procesos y sentencias, y también fue la sede de Margarita después de enviudar y de Carlos V en sus años de mocedad. Lovaina era la ciudad universitaria por excelencia, el *quartier latin* del país visitado por nombres tan ilustres como Erasmo o Vives; Lovaina era la ciudad de los profesores, doctores, licenciados y estudiantes. Y por otra parte Cambrai era la ciudad del alto clero, sede del arzobispo y su cabildo y también centro espiritual de la religión y las jerarquías del país; en Cambrai podían escucharse las campanadas del reloj más famoso de los Países Bajos y al tiempo contemplar escenas de la Pasión del Señor hechas con figuras de tamaño natural. También estaba la ciudad de Gante, conocida por sus artes y oficios y por sus poderosos gremios; los gremios, desde su atalaya, vigilaban que no se perdiera ninguno de sus derechos, guardados en documento escrito y en cofre de hierro cerrado con tres candados. Los gremios conservaban una costumbre ancestral, que consistía en que cada una de esas tres llaves fuera custodiada por tres maestros de gremios diferentes. *L'on ne parlait en Flandres que du pouvoir des messieurs de Gand*[14], decía en sus memorias Olivier de la Manche, el año 1445. La burguesía de Gante estaba más unida que ninguna otra y su democrática solidaridad abrió el paso a ciertas novedades en el país. Tras la muerte de Carlos el Temerario, los ganteses tenían tanto interés en casar a su hija María con Maximiliano de Habsburgo que no tuvieron empacho en decapitar al Canciller y su ayuda de cámara, más inclinados a casarla con el delfín de Francia. Pero tampoco tuvieron inconveniente en entrar en polémica con Maximiliano y mandar a prisión al pequeño prín-

---

[14] En Flandes sólo se hablaba del poder de los señores de Gante.

cipe Felipe. Los vasallos alemanes de Maximiliano estaban ya preparados para saquear la ciudad, pero Felipe de Cleve intervino oportunamente diciéndoles *qu'en détruisant Gand il perdrait la fleur et la perle de tous ses pays*[15]. Carlos V reconquistará más a fondo lo que su abuelo había perdido. Hemos de citar también las dos ciudades de Amberes de Brabante y Brujas de Flandes, que dominaban el comercio por mar y tierra, el primero en pleno auge y el segundo en incipiente declive. Brujas era, en la Edad Media, un puerto de tránsito para el comercio entre los países del norte e Italia. En 1348, Brujas tenía contactos con algunas casas españolas, en 1361 con alguna de Nüremberg y en el año 1392 firmó un acuerdo con la Liga hanseática. Los caballeros de Flandes habían tomado parte en las Cruzadas e importaron a su país el gusto por la magnificencia oriental y su destreza tejiendo tapices. Brujas ha sido uno de los centros más antiguos de este arte en Occidente.

En Brujas fue también donde Felipe el Bueno fundara la Orden del Toisón de Oro, en 1229. En Amberes, el comercio empezó a florecer en el año 1485 a pesar de que los ciudadanos de Gante y Brujas intentaran impedirlo utilizando la fuerza de las armas. Este puerto adquiría importancia al tiempo que Venecia perdía la suya, es decir, a partir de que el navegante Vasco de Gama hallara una nueva ruta doblando el Cabo de Buena Esperanza (1503). Su relevancia aumentaba a medida que los buques mercantes portugueses tocaban puerto y abarrotaban sus almacenes con géneros procedentes de las Indias. Erasmo hizo una espléndida descripción de los dos mercados que anualmente se celebraban en Amberes, uno en primavera y otro en otoño, de seis semanas de duración respectivamente. Y por último la ciudad de Bruselas, ciudad de principescos palacios precisamente así llamada: *de prinzelijke stad*. En Bruselas residía la familia real rodeada de grandes señores, de caballeros del Toisón de Oro, cortesanos, diplomáticos y embajadores, lacayos, cocineros, palafreneros y mozos de cuadra.

En la cima de Borgendael se alzaba el palacio del du-

---

[15] Si destruye Gante, perderá la flor y perla de todos sus países.

que de Brabante donde residieron y durante algunos años gobernaron Felipe el Hermoso, Carlos V y Felipe II y también donde el Emperador ratificara su abdicación. Era un sólido edificio húmedo y muy frío con pavimento y escaleras de piedra y baldosa, pero el lujo de su interior compensaba el frío y la humedad. El suelo estaba recubierto por cálidas y gruesas alfombras de mucho colorido, un lujo que sólo sabremos calibrar comparándolo con los suelos del palacio real londinense de la época, cubiertos con simples cañas de bambú. De sus paredes pendían magníficos tapices de Flandes, país cuya industria por entonces gozaba de enorme fama universal[16]. Estos tapices podían cambiarse eventualmente por capricho o por alguna circunstancia; eran tapices representando escenas bucólicas, de caza, escenas bíblicas, mitológicas o de la historia de la Caballería. En los salones había muebles de talla, jarras de oro y bandejas de plata decoraban las chimeneas de mármol; había también esbeltos y gráciles relojes, espejos venecianos, jarrones y centros de figuras de porcelana. En las paredes de las estancias y galerías se exhibían obras maestras de pintura italiana y holandesa, retratos de antecesores, o grandes batallas y paisajes en sus corredores[17]. Pinturas e imágenes religiosas de incalculable valor colgaban en las capillas y el Oratorio de palacio[18]. En el exterior, un florido y extenso parque natural cuajado de prados bañados por el sol, fresca arboleda, cotos y estanques, rodeaba las dependencias del palacio. Un simple muro lo separaba de la espesura de un frondoso monte cuya extensión se perdía mucho más allá de lo que la vista podía abarcar, escenario frecuente de los placeres cinegéticos de la Corte. Numerosos funcionarios de la Corte luciendo vistosos y elegantes uniformes y haciendo gala de un complicado ceremonial, conducían a las visitas desde la entrada de palacio –nada fácil de encontrar– y por el interior del recinto donde

---

[16] El veneciano Quirini cita como exquisiteces exclusivas del país, los tapices flamencos, los finos lienzos holandeses y el alto nivel en el cultivo de la música. GACHARD, *Monuments*, 61.

[17] *In atrio quodam sunt excellentes picturae si usquam ullo in loco invenirint possunt.* Leo von ROZMITAL, 23.

[18] Toda esta belleza y magnificencia pasó a ser pasto de las llamas el 5 de febrero de 1731, en un desgraciado e inevitable incendio.

siempre reinaba un continuo ajetreo. El hecho de que la sede de las oficinas y salas de reunión de la brillante Orden del Toisón de Oro, envidia de todas las Cortes de Europa y objeto de deseo de la alta nobleza europea, se encontrara en este palacio añadía un interés especial al incesante ir y venir –tan solemne como multicolor– de egregios personajes. Con el transcurso del tiempo, esta Orden, además de su finalidad de origen, adquirió un significado histórico-cultural que ahora veremos. El descubrimiento de la pólvora produjo un cambio radical en las artes bélicas. Los caballeros fueron sustituidos por soldados mercenarios; la lucha cuerpo a cuerpo por combates multitudinarios; la espada, el escudo y la lanza por el cañón y el arcabuz; y la autodisciplina por la disciplina de masas. A partir de entonces, cualquier empresa bélica requería orden, uniformidad y mecanización, elementos esenciales pero también muy impersonales. Las órdenes de caballería no tenían ya justificación, dejaron de ser una profesión, una clase social. Difícilmente se podía pensar en Arturo y Lanzelot, Iaán y Gavin, Tristán y Titurel, Garin el Lorenés, Ogier el Danés, Huon el Bordelés..., con las armas de fuego al hombro y marcando el paso al ritmo del tambor y el pífano. Fuera del ámbito de la poesía al que indudablemente pertenecen, las órdenes de caballería sólo podrían sobrevivir en la vida real como una antigua usanza cortesana, sólo podrían perdurar como una ilusión de la alta aristocracia. Después de perder su nexo con la realidad, la Orden del Toisón de Oro trataba de distinguir una vida noble iluminándola con el resplandor de un heroico ideal, y se convirtió en un foco de interés para aquella aparente cultura histórico-caballeresca. Borgoña y su corte eran el lugar de origen y conservación del Toisón de Oro y era por tanto también, el mejor lugar para que prosperara su posterior florecimiento. Ningún otro país del reino gozaba de un presupuesto tan alto para la casa real como la Corte de Bruselas, ni tampoco tenía para sus ceremonias casi litúrgicas un número tan elevado de funcionarios bien formados y disciplinados, ni tampoco tanta etiqueta en la vida ordinaria. Todo aquello, en realidad se debía a un íntimo deseo de resucitar el inexistente mundo de la Tabla Redonda y que no se perdiera en el recuerdo como una simple leyenda. Olivier de la Manche, maestro de ceremonias de Carlos el Temerario y preceptor de Felipe el Hermoso, hizo editar a instancias de Eduardo IV de Inglaterra una minuciosa descripción de las costumbres cortesanas borgoñonas, pero el estilo caballeresco de Bruselas no llegó a enraizar en la Corte inglesa. Carlos V, en cambio, criado y educado en aquel ambiente de lujo y magnificencia, lo consideró esencial para un mayor relieve y prestigio en su imperio. Tanto es así, que ha quedado constancia de que Carlos V ordenó en 1548 preparar la Corte de su joven hijo y heredero Felipe II, *a la borgoñona*[19].

Un anónimo de la época hasta ahora inédito, ha informado también que los habitantes de las provincias neerlandesas eran «generalmente altos y de piernas bien formadas, trabajadores, habilidosos, buenos imitadores y con talento musical. Pero son también mezquinos, charlatanes, curiosos, desconfiados, desagradecidos, crédulos, poco comedidos en la bebida y nada hábiles para trabajos físicos y fatigas intelectuales. Beben cerveza, especie de cocimiento de una doble mezcla de espelta y cebada con trigo y algo de lúpulo, este último esmeradamente cultivado por ellos mismos para este fin. Y con esta bebida se emborrachan»[20]. Otras noticias procedentes de sus contemporáneos afirman también que la población estaba compuesta por gente muy bulliciosa en el hablar y en el ademán, que eran buenos comedores y mejores bebedores y que les gustaba el buen vivir y el lujo en el vestir. Alonso Vázquez ha reseñado también que daban de beber cerveza incluso a niños aún en pañales, y que de noche se veía a mujeres, con faroles en la mano, deambular por las calles de taberna en taberna buscando a sus maridos borrachos. Bautizos, bodas, entierros, fiestas religiosas o populares, todo era motivo de suculentas comilonas y terribles borracheras. Hombres y mujeres, sentados alrededor de una larga mesa, entrelazaban sus brazos sosteniendo las jarras de cerveza, y coreados

---

[19] La Corte española de los Habsburgo también transmitió esta disciplina palatina a la Corte de Austria.
[20] *Compendio degli stati, etc.*

por los gritos y risas de los demás, las apuraban hasta el fondo besándose luego en la boca sin siquiera secarse los labios. Si alguno se negaba a emborracharse, ese tal era tomado por traidor por el resto de la concurrencia, pues sólo cuando se tiene algo que ocultar se teme contar verdades o intimidades por los efectos del alcohol. Un país como éste y con semejante pueblo, estaba, como es natural, bien provisto de hospederías y mesones donde comer bien y pernoctar. Los españoles admiraban y cantaban alabanzas sobre todo del gran número que había, y de su limpieza, de la cantidad de provisiones y de su bajo precio, pues ellos eran conocidos desde tiempo inmemorial en toda Europa precisamente por lo contrario. Erasmo describió el encanto de estas posadas neerlandesas en la siguiente narración: «En la mesa siempre estaba presente alguna mujer para entretener a los huéspedes con sus bromas y bagatelas, allí reinaban la animación y las buenas formas (*mira formarum felicitas*). Primero vino la dueña de la taberna a saludarnos y desearnos la feliz degustación de su comida. Luego hizo su aparición su hija, una bonita muchacha tan compuesta en el porte y el decir, que haría sonreír al más malhumorado y taciturno de los hombres. Ambas mujeres se dirigían a sus huéspedes, no como a extraños desconocidos, sino como a amigos de largo tiempo conocidos. Y conforme a esto era también la cocina, pues sólo de fábulas no se llena el vientre (*fabulis non expletur venter*)»[21]. La moral era muy relajada y las relaciones entre ambos sexos no se veían restringidas por rigurosas costumbres morales ni por las leyes del honor, como en España; la inocencia seducida no clamaba venganza. La costumbre del baño y aseo a la vista de todo el mundo que reseña Philippe de Commines en sus *Memoires,* nos dan clara idea de la relajación de las costumbres medievales. Este compañero de viaje del noble caballero Leo von Rozmital, nos da conocer su asombro ante tales costumbres[22]. Los burdeles

---

[21] Del capítulo «Diversoria» de los *Coloquios.*

[22] «Conocimos también en aquel país la costumbre del baño, cosa harto difícil de describir. De Bruselas cabalgamos a Brujas. Allí pasamos la cuaresma y usamos por primera vez su afamado baño». ROZMITAL, 152.

eran visitados tanto por hombres como por mujeres que después no manifestaban conocerse, si se veían en público.

Sus cónyuges no encontraban mal alguno en que cada cual visitara eventualmente un prostíbulo y las muchachas del campo tenían por costumbre ejercer el oficio más antiguo del mundo para ganarse su dote para la boda[23]. La promiscuidad reinante en los ámbitos más distinguidos, tampoco era escasa. En los archivos de Lille se conservan tomos repletos de folios con los registros de las legitimaciones de hijos bastardos de los cortesanos de Bruselas de la época. Carlos V prohibió la formalización de esos documentos en el año 1544[24]. En el año 1530, cuando Carlos V propuso la gobernación de los Países Bajos a su hermana María, viuda del rey de Hungría, su confesor, el prudente García de Loaysa que nunca se mordía la lengua, le advirtió seriamente se abstuviera, *para no llenarse de sobrinos, hijos de padres inferiores a ellos*[25]. Éstos eran el país y el pueblo de Felipe el Hermoso, así era la patria adoptiva de la española Juana y lugar de nacimiento y juventud de Carlos V. Y ése fue también el ámbito donde, más tarde, Felipe II encontrara tanta dificultad para poder abrirse camino.

3.

Al parecer, el matrimonio del heredero borgoñón y la hija de Isabel y Fernando, en principio se adaptó a ese ambiente sin mayor dificultad. Aquel enlace tuvo todos los aspectos de una desatinada y fogosa pasión durante sus escasos diez años de duración, y después mantuvo inalterable para siempre aquel estigma. El primer encuentro de los jóvenes tuvo lugar en Lierre, entre Malinas y Amberes. Juana llegaba procedente del puerto de Middelburg, donde había desembarcado, y Felipe había cabalgado desde Landeck, en el Tirol, donde por aquel entonces se encontraba con su padre. Hubo flechazo a primera vista y con la vehe-

23 VÁZQUEZ, 471.
24 MÕELLER, 201.
25 HEINE, 99.

mencia propia de sus pocos años (ella sólo tenía dieciséis y él diecisiete). Tan es así, que los dos estuvieron de acuerdo en no esperar dos días, fecha fijada para la celebración de la boda, e hicieron llamar a un sacerdote que bendijera su unión, para poder consumar el matrimonio aquella misma noche[26]. Como ya dijimos, los primeros años residieron entre Gante y Bruselas. Sin embargo, ciertos rumores bastante alarmantes llegaron enseguida a España. Se decía que el joven Felipe era caballero que gustaba en demasía del galanteo y era dado a frecuentes devaneos con las damas, algo insólito para las mentes españolas. Mientras que Juana –eran sólo rumores– vivía rodeada de clérigos disolutos procedentes de París y había dejado de atender sus costumbres piadosas; pero además, había abandonado también sus obligaciones para con la Corte e incluso retenía durante algunos meses el salario debido a su servidumbre. La reina Isabel envió a Bruselas de inmediato a un hombre de toda confianza, a fray Tomás de Matienzo, vicerrector de la Santa Cruz, para que él averiguase la verdad de todo aquello. El resultado de sus pesquisas fue que Juana, en efecto, parecía estar recelosa de todo y ser muy antojadiza y reservada, y la causa de todo ello era, al parecer, que el matrimonio no era enteramente feliz a partir del primer momento. La reina Isabel había enviado junto a su hija a hombres de cierta relevancia para que ocuparan los cargos más importantes de su Corte. Eran éstos: don Rodrigo Manrique, mayordomo mayor de la Corte; don Francisco de Luján, jefe de caballerizas; y don Martín de Tavera y don Hernando de Quesada, maestresalas. Pero esos cargos habían sido ocupados por súbditos flamencos. Así que Juana estaba aislada de su propia gente y se veía rodeada de espías. Por otra parte, en lo que se refiere a las cuestiones económicas, el tesorero de su esposo le administraba todos sus bienes y Juana dependía totalmente de él, pero además, la forma de administrarle su dinero era tan singular que constantemente la hacía pasar por situaciones poco dignas ante sus propios criados. Felipe el Hermoso no parecía sentir ninguna prisa en acudir en auxilio de las

---

[26] PADILLA, 49.

necesidades y quejas de su esposa constantemente embarazada. *Felipe, era mancebo y regocijado, y de continuo entendía en cosas de placer y regocijos de armas*[27]. En noviembre de 1498 Juana daba a luz a su primera hija. Su segundo hijo nació en febrero de 1500 durante una fiesta cortesana en Gante. De pronto se sintió indispuesta y se retiró a un pequeño gabinete, rústicamente habilitado para servir a ciertos menesteres, y allí dio a luz un robusto niño: Carlos, futuro emperador, llegaba al mundo de aquella manera tan insólita[28]. En los siguientes seis años de matrimonio, la prolífica Juana trajo al mundo otros cuatro hijos, tres niñas y un niño[29].

Juana se convirtió de forma inesperada, en julio de 1500, en la legítima sucesora del trono de España. Con tal motivo se vio obligada a emprender viaje a España, para ser allí oficialmente reconocida heredera por las Cortes españolas, junto a su esposo don Felipe. Pero los consejeros y favoritos de Felipe intervinieron desaconsejándole tal viaje. El fuerte contraste entre españoles y neerlandeses, los diferentes principios y costumbres de ambos pueblos les parecía motivo suficiente para desistir del viaje. *Pues como la felicidad para ellos sólo consiste en la gula y todo lo referente a ella, temen carecer en España de toda conveniencia, y quieren así impedir el viaje a toda costa.* Éste fue el informe del entonces embajador en Bruselas, Gómez de Fuensalida[30].

Pero la reina Isabel tenía muchas esperanzas puestas en su hija Juana; todo se resolvería favorablemente teniendo cerca a su hija. No sólo alejaría de ella aquellas nocivas influencias, sino que la paz y el orden volverían al cuerpo y al espíritu de Juana, ambos tan necesitados de sus solícitos cuidados. ¡Una enternecedora y fácilmente comprensible

[27] PADILLA, 51.
[28] HÖFFER, 23; STORCH, 26; LOCKEREN, 47; HEINNE, I, 22.
[29] Sus seis hijos por orden cronológico, fueron son los siguientes:
    1. Leonor, nac. 15.XI.1498, en Bruselas.
    2. Carlos, nac. 24.II.1500, en Gante.
    3. Isabel, nac. 27.VII.1501, en Bruselas.
    4. Fernando, nac. 10.III.1503, en Alcalá de Henares.
    5. María, nac. 15.IX.1505, en Bruselas.
    6. Catalina, nac. 14.I.1507, en Torquemada.
[30] *Correspondencia*, XXVIII.

inquietud de madre! Pero tuvo que esperar el tiempo de un nuevo e incipiente embarazo, hasta que Juana alumbrara en julio de 1501 a su tercer hijo, una niña esta vez. Entonces Juana y su esposo Felipe se pusieron en marcha, dejando las provincias de Flandes para ganar la lejana tierra española, en un larguísimo viaje por tierra lleno de peripecias.

El rey de Francia envió a Bruselas un mensaje urgente rogando a los archiduques le hicieran el honor de viajar por territorio francés, poniendo a su disposición a 400 soldados para su escolta. Así pues, el 4 de noviembre de 1501 salieron de Bruselas y emprendieron su viaje por Cambray, San Quintín, Noyon, Senlis y Saint-Denis. Llevaban un séquito compuesto por más de cien personas, cuarenta de entre ellas eran damas de honor. El número total de escuderos, lacayos, cocineros y demás personal de servicio, sumaba más de doscientas personas. Una larga fila de carruajes transportaba el equipaje. Además de camas, llevaban mobiliario y ajuar de cocina, grandes arcas con vajillas, bandejas de plata e incluso llevaban parte de los magníficos tapices de Flandes de su palacio de Bruselas. El 7 de diciembre llegaron a Blois, residencia de la Corte francesa. La solemne recepción de los huéspedes tuvo lugar en el gran salón de palacio. *¡Voilà un beau prince!*, exclamó el rey Luis XII al ver al archiduque asomando por la puerta. Después de tres largas y pronunciadas reverencias, distanciadas por cinco pasos cada una de ellas, Felipe el Hermoso se aproximó al rey, y éste, asombrado ante aquella inusitada cortesía, le recibió con los brazos abiertos. Después de una breve pausa era el momento de hacer Juana su entrada, pero justo antes de cruzar el umbral, el maestro de ceremonias francés le advirtió que el rey la recibiría con un beso. Juana pudorosa y muy asustada retrocedió y a punto estuvo de haber una escena. Juan de Fonseca, obispo de Córdoba que formaba parte del séquito, consiguió tranquilizarla y convencerla de que era deber de cortesía acomodarse, en silencio, a las costumbres de la Corte francesa. Entró, finalmente, pero en vez de las tres venias previstas hizo sólo dos porque el rey Luis XII se abalanzaba a su encuentro y la besó conduciéndola hasta su esposo que también la besó. Pasaron varios días entretenidos en bailes, cacerías, torneos y juegos de dados y naipes. El tratado de paz de Trento firmado entre Luis XII y Maximiliano I fue ocasión para aquellos festejos. Su estancia en Blois no hubiera acabado nunca de no ser por ciertos conflictos causados por la vanidad femenina. Juana debía depositar la limosna en la iglesia en lugar de la reina; una dama de honor le acercaría el dinero para la ofrenda. Pero la española consideró ambas cosas una exigencia altamente bochornosa y se negó a ello. La reina se enfadó mucho y pensó vengarse de Juana en alguna cortesía protocolaria. En efecto, la reina olvidó al salir de la iglesia dar preferencia a su huésped y salió ella la primera, con paso arrogante[31]. Pero Juana no esperó mucho para devolverle el golpe hábilmente y dejó pasar un tiempo prudencial para luego salir ella sola con altiva dignidad. Ya en el exterior, la reina de Francia por cortesía no pudo evitar esperarla, pero Juana se desentendió de ella y, sola, continuó su camino hacia sus habitaciones. Esto enrareció mucho el ambiente. Aquello podía incluso derivar en serias complicaciones. Así que decidieron adelantar la partida[32]. El rey Luis XII les dio escolta hasta Amboise y el mayordomo mayor (administrador de la casa del rey) se despidió al llegar a San Juan de Luz; una vez allí, los viajeros continuaron hacia la frontera española. Al pie de los Pirineos hubo que descargar todo el equipaje que acarreaban con ellos. Los angostos caminos de montaña que atravesaban la cordillera pirenaica eran intransitables para los carruajes y tuvieron que ser devueltos a Flandes. En su lugar, una reata de recios mulos vizcaínos cargó con aquella pesada carga camino de Toledo.

Gutierre de Cárdenas y don Francisco de Zúñiga, conde de Miranda, salieron a Fuenterrabía acompañados de otros muchos nobles para saludar y dar la bienvenida a los egregios viajeros, en nombre de los Reyes Católicos. A partir de ese momento, fueron los flamencos los que em-

---

[31] Para comprender el significado real de este gesto de protocolo cortesano, cfr HUIZINGA, 53-59.
[32] PADILLA, 83.

pezaron a sufrir las diferencias de usos y costumbres de España, tan diversos a los que ellos acostumbraban. Ya en su recibimiento observaron que las damas brillaban por su ausencia, el saludo iba acompañado de reverencia y beso en la mano y el torneo típicamente español era con picas de caña y lanzas. El 30 de enero de 1502 llegaban a Tolosa y el 6 de febrero a Segura. En Burgos encontraron las puertas cerradas según su derecho y antigua tradición. Antes de ser abiertas, el joven archiduque tuvo que jurar respeto a los privilegios de aquella noble ciudad. Después, a partir de Burgos, las recepciones de las ciudades eran netamente españolas, es decir, se hacía la entrada en procesión bajo palio hasta la catedral, y allí, rezo de un *Te deum*, beso de reliquias y bendición solemne. El archiduque y su séquito vieron en Burgos su primera corrida de toros. El 15 de marzo la comitiva llegaba a Medina del Campo, ciudad célebre por las ferias que celebraban todos los años. Aquí Felipe el Hermoso se vistió a la usanza española, se colocó una peluca y de esa guisa salió decidido a estudiar a fondo la psicología del pueblo español. Por lo que sabemos, esto dio lugar a que se desataran los celos de su esposa. Más adelante, en Segovia, donde sólo pasaron un día con su noche, los flamencos tuvieron oportunidad de admirar como una curiosidad, un famoso puente construido por el diablo en un solo día sin cal ni arena, de 400 pies de altura y una milla francesa de largo. Los flamencos difícilmente podían imaginar que se encontraban ante el actual y maravilloso acueducto romano de universal fama. El 25 de marzo llegaban a Madrid, ciudad que estaba celebrando en esas fechas, con todo fervor y recogimiento, la Semana Santa. Una vez pasada la Pascua, el archiduque se dedicó a su pasión favorita, la caza, por los alrededores de la ciudad. El 29 de abril los viajeros hicieron su entrada en Illescas. En una aldea muy próxima, en Olía, Felipe enfermó de sarampión y tuvo que permanecer encamado varios días. El rey don Fernando muy solícito se apresuró desde Toledo a saludar a su yerno al que entonces veía por primera vez. Finalmente, el 7 de mayo el enfermo ya convaleciente y su esposa hacían su entrada con toda solemnidad en la muy antigua y santa ciudad de Toledo. Ante sus grandes puertas fueron recibidos por el rey acompañado de su séquito, luego hubo el rezo del *Te deum* con bendición mayor en la catedral y luego la reina Isabel, sentada en el trono, en su alcázar, pudo finalmente recibir a su hija Juana y su yerno Felipe. La reina dio su mano a besar a su yerno y con maternal ternura estrechó fuertemente entre sus brazos a la hija de quien había estado tanto tiempo separada. La pareja de Flandes estaba lujosamente ataviada de terciopelo y seda con brocados de oro y guarnición de piel, y en cuanto a «del vestir del rey y la reina es mejor silenciar, pues sólo vestían pobres telas de lana», era lo relatado por un testigo presencial[33]. Aquel primer encuentro fue cualquier cosa, menos familiar. Felipe no hablaba nada de español. Isabel y Fernando no hablaban una palabra de francés. Juana, agotada, tuvo que hacer de intérprete entre unos y otros. Además, en aquel preciso momento llegaba a la Corte española la luctuosa noticia de una muerte súbita del Príncipe de Gales, casado con Catalina, hermana menor de Juana. Un riguroso luto en la Corte española obligó a suspender todos los festejos previstos. Pero, mientras los demás asistían a interminables funerales y oficios fúnebres, Felipe se fue a practicar sus dos deportes favoritos a Aranjuez: caza y pelota[34]. Afortunadamente, el reconocimiento de Juana y Felipe como herederos de la Corona por las cortes de Castilla y Aragón, pudo celebrarse sin ningún obstáculo a excepción de una cláusula con una reserva que estableció el reino de Aragón: en caso de enviudar el rey don Fernando y que engendrara un hijo en segundas nupcias, éste sería único y legítimo heredero de la corona de Aragón. Fue una cláusula con lamentables consecuencias.

Felipe el Hermoso suspiraba por volver cuanto antes a su tierra; el viaje a España le parecía un mero *intermezzo* y estaba ansioso por dejar un reino donde su pueblo, sus habitantes, su lengua y sus costumbres, todo le resultaba sumamente fastidioso. Nada más dejar Toledo, hemos de decir, escribió a los suyos diciendo que daba gracias a Dios de

---

[33] Antoine de Lalaing, ayuda de cámara de Felipe el Hermoso, nos ha dejado un minucioso relata de este viaje.
[34] PADILLA, 88.

dejar aquella ciudad a sus espaldas y que no hallaría reposo hasta llegar de nuevo a su patria. Los monarcas españoles le hicieron reflexionar sobre la conveniencia de permanecer algo más de tiempo con ellos para conocer mejor el país, para acostumbrarse a los usos y costumbres de su pueblo, aprender su lengua, conocer el paisaje del reino que algún día habría de gobernar, a todo lo cual él respondió tener asuntos de gobierno de gran importancia esperándole en Bruselas[35]. No obstante, en noviembre la reina envió unos emisarios a sus hijos, que habían emprendido su viaje de regreso hacia el norte desde Zaragoza, encareciéndoles volvieran a Madrid con presteza. Lo que la reina realmente quería conseguir de Felipe era que retrasaran su vuelta a Flandes, al menos hasta que su esposa nuevamente en estado de buena esperanza, diera a luz. Pero el flamenco no atendió a razones; su esposa podía permanecer en Castilla sin él hasta después del alumbramiento. Se debatió aquel asunto durante tres largos días, pero Felipe no era fácil de convencer y la soberana española tampoco quería dar su brazo a torcer; quería evitarle las penalidades de un nuevo viaje en meses de pleno invierno, a su hija encinta. Tanto se empeñó que los esposos tuvieron que ceder. A mediados de diciembre de 1502, Juana despedía a su esposo Felipe que se ponía en camino. Pasó por Barcelona, Marsella, Lyon, Friburgo, Ausburgo y Mittenwald hasta llegar a Innsbruck donde se reunió con su padre Maximiliano. En Lyon tuvo un peligroso encuentro con Luis XII, rey de Francia, que le propuso firmar un tratado de paz en nombre de los Reyes Católicos sin conocimiento de los soberanos que, de haberse llevado a cabo, habría causado un grave perjuicio a España con respecto al reino de Nápoles. En las montañas del Tirol obsequiaron a Felipe con una cacería de gamuzas y en el palacio de Innsbruck le recrearon con buena música y bailes; además hizo también una visita a las famosas salinas de Hall y a las minas de plata de Schwaz. En una palabra, el tiempo pasaba volando en una Corte tan apacible y placentera como aquella y los asuntos de gobierno de Flandes podían seguir

---

[35] *Collection des voyages des souverains des Pays-Bas* I, 381.

esperando, ¡mi Austria querida!... En octubre de 1503 se despidió por fin y después de pasar por Kempten, Stuttgart, Heidelberg, Worms y Colonia, a mediados de diciembre llegaba a Bruselas. Entretanto, en la lejana Castilla la pobre Juana empezaba a ser víctima de intensos y frecuentes ataques de dolor y desesperación. Cualquier otra especie de sentimiento era ínfimo ante uno solo predominante: celos de un marido frívolo y veleidoso. La pobre desventurada empezó a sumirse en una triste indolencia, día y noche recostada sobre unas almohadas, con la mirada perdida en el vacío. De cuando en cuando despertaba de aquel letargo y, asustada de su alterado estado psicomotor, lanzaba agudos y lastimeros gritos o se quejaba con toda suerte de lamentaciones. Todos coincidían en que, después del alumbramiento, seguramente recuperaría la calma y la paz perdidas. El 10 de marzo de 1503 Juana daba a luz en Alcalá de Henares a su hijo Fernando, que más adelante también ceñiría la corona de emperador sucediendo a Carlos V. Pero el estado de ánimo y de salud de Juana no sufrió ningún cambio. Una única idea, una obsesión la seguía atormentando: regresar a Flandes. Pero por aquel entonces, Francia y España estaban en guerra y emprender ese viaje era poco menos que imposible. Para Juana, el verano del año 1503 fue una entenebrecida penumbra. Hasta que, por fin, en el mes de noviembre llegaba una embajada de su esposo que deseaba ser informado si ella estaría dispuesta a regresar a su lado. Y Juana no pudo resistir por más tiempo. Esa misma noche daba órdenes en su castillo de la Mota, en Medina del Campo, de ponerse en marcha sin más tardanza. En vano le rogaban esperar al menos el regreso de la soberana entonces ausente, para despedirse de ella. No quería escuchar razones, no había nada más que esperar, y salió presurosa de sus aposentos del castillo hasta el patio, como si tratara fugarse de los muros de una supuesta prisión. El obispo de Córdoba –que ya conocemos por el beso del rey Luis XII, en Blois– había recibido expreso encargo de la reina Isabel de custodiar a su hija, y ordenó la inmediata leva de puentes y bajada de rejas de los accesos al castillo. Juana, enloquecida, sufrió un ataque de cólera al comprobar que no era obedecida, y cuanto más se dirigían a ella con ruegos y súplicas, o con amenazas, más iba en aumento aquella furia. Airada, rechazaba cualquier auxilio de sus damas y su servidumbre y agarrada fuertemente a las rejas, con los dedos atenazados sacudía inútilmente los barrotes de hierro. En vano intentaron protegerla del frío cubriéndola con el manto y la toca. Fue inútil. Pasó aquella fría noche de noviembre y todo el siguiente día, al raso, aplastada contra aquella reja como un animal feroz. La segunda noche muy a su pesar tuvo que aproximarse al calor de un fuego que habían encendido en el patio. Pero el nuevo día volvió a encontrarla aferrada a la reja y en esa actitud la encontró también su madre, la reina Isabel, que al verla en esas condiciones –presa de espanto–, con infinita amargura recordó a su propia madre en Arévalo, sólo unas millas al sur de Medina del Campo, también enferma de demencia[36]. El discurso de la madre, sus palabras llenas de sincero afecto lograron apaciguar aquella tormenta y reanimar a la abatida y casi exhausta hija. Pero eso no le evitó escuchar de labios de su propia hija palabras tan crueles e insolentes que «ella jamás hubiera tolerado de nadie, de no conocer el deteriorado estado mental en que se hallaba»[37]. Esto fue lo que escribió la propia reina dolorosamente afectada, a su embajador en Bruselas. Juana acabó accediendo a esperar a la primavera para ponerse en marcha y en marzo de 1504 embarcaba rumbo a las costas de Flandes, al encuentro de su tan ansiado esposo. Ya nunca más volvió a ver a su madre en vida.

4.

Nada más llegar a Bruselas surgieron los conflictos. Todo empezó con una violenta agresión de Juana a una

---

[36] Juan II rey de Castilla y padre de Isabel, murió en Valladolid en el año 1454. Después de enviudar, su madre vivió hasta su muerte acaecida el 15 de agosto de 1496, es decir, 42 años, en Arévalo, sana de cuerpo pero no de espíritu. *Mariti desiderio nimis flens in mentis aegritudinem incidit,* dice Lucio Marineo Sículo (*Hispania illustrata,* de SCHOTTI, 469).

[37] GÓMEZ DE FUENSALIDA, *Correspondencia, XXXI.*

dama de la Corte, en pleno ataque de celos. Unos celos que, a partir de entonces, Juana nunca dejaría de sufrir, amargando la vida a su esposo de tal forma que Felipe llegó a pensar en el suicidio. Juana sospechaba que su marido mantenía relaciones con una dama de nórdica belleza. En una ocasión, observó cómo esta joven escondía en su escote una pequeña misiva recibida y, sin más preámbulos, se la arrebató. La joven intentó defenderse como pudo; recuperó su carta e introduciéndola en la boca, la masticó y se la tragó. Entonces Juana se puso fuera de sí. Agarró por los pelos a la insubordinada e insolente muchacha, dirigiéndole toda clase de insultos e improperios en un intento de que escupiera el papel –que, por otra parte, quizá sólo fuera un simple papel–, y al no conseguir su propósito, después de cortar su hermosa trenza, le señaló la cara dándole unos cortes con las tijeras. El enfado del príncipe también fue sonoro. Hubo más que palabras. No se contentó con hacer toda clase de reproches y consideraciones a su esposa; Juana, que había arañado, mordido y abofeteado a la cortesana, recibió en su propia carne los efectos de una mano varonil. A partir de aquel momento, Felipe dio orden a un hombre de su confianza, Martín de Móxica, de escribir un diario especificando la conducta de Juana día a día, con el fin de poder justificarse ante sus suegros, los Reyes de España. Todas las Cortes de Europa se hicieron rápidamente eco de esta desavenencia conyugal y la noticia, claro está, no tardó en llegar hasta el último rincón de España. Mientras tanto, en Bruselas, las dificultades iban en aumento.

Los celos de Juana hacían la vida ordinaria cada vez más difícil y complicada. Por ejemplo, no quería tener a su lado a jóvenes flamencas y solamente se dejaba servir por esclavas traídas de España, la mayoría de ellas seguramente «moriscas», a las que según una costumbre oriental –bastante déspota por cierto–, desfiguraba la cara[38]. Felipe, por el contrario, quería que las despidiera y las dejara marchar en libertad, pues en su opinión, muchas de las extravagancias de su esposa se debían a la simple influencia de aque-

---

[38] Cfr fuente anteriormente indicada.

llas buenas gentes. Su esposa se empeñaba en lavarse las manos y la cara con excesiva frecuencia y él trataba de impedírselo, pero ella se obstinaba aún más en repetir aquellos lavatorios; sólo obedecía cuando Felipe le amenazaba con privarla de relaciones conyugales. Pero al día siguiente, volvía a recomenzar. Allí estaban otra vez sus sirvientes con las palanganas. Hubo ocasiones en las que Felipe la dejaba encerrada en su habitación y entonces Juana daba a conocer sus protestas negándose a probar alimento y, dado que su esposo dormía en la estancia contigua a la suya, pasaba noches enteras dando golpes a la pared con un bastón y profiriendo a gritos toda clase de insultos.

Aunque Felipe por problemas lingüísticos a veces no entendiera el significado de sus insultos, era perfectamente consciente del tono empleado y de su insufrible vocerío noche tras noche, así que, solía empezar el día con una fuerte y violenta discusión entre los cónyuges. Felipe la amenazaba con no volver a mirarla a la cara, a lo que ella respondía jurando hacer exactamente lo contrario de lo que él dispusiera. Felipe entonces se alejaba de allí, buscaba alivio y refugio en lo que era su pasión favorita, la caza. Una hora más tarde, Juana arrepentida le escribía una apasionada carta de amor, que él a su regreso leía y, una vez reconciliados, la paz y el sosiego volvían al hogar familiar.

Es conmovedor el hecho de que cuando el archiduque no sabía ya qué hacer para alivio de su «terrible» esposa (así la llamaban en Flandes: «la terrible»), entonces llamaba a sus hijos. Pero tampoco eso daba resultado. El temperamento de Juana tenía características propias de mujer de corta inteligencia: en Felipe veía al hombre, no al esposo. Sólo reconocía uno de sus deberes matrimoniales, el tálamo conyugal, y no conocía más medicina para curarse de sus celos que llevarle la contraria en todo. ¿Puede acaso asombrarnos que su esposo la abandonara a su suerte? «Era mi deseo que ella participara en el gobierno, pero a eso siempre respondía que no. Por no causarle mayores irritaciones, consentí que hiciera su sola voluntad...». Así escribía Felipe a sus suegros Isabel y Fernando, harto ya de tantos altercados. Juana empezaba a dar síntomas reveladores de un mal mayor, de raíces más profundas. Poco a poco se fue aislando de los demás; pasaba sus días canturreando entre dientes y arreglando sus vestidos; un hilo de perlas por aquí, ahora un adorno de encaje por allá... Lo que realmente sucedía era que estaba pasando por una dolorosa prueba que ella misma no sabía explicar; aquel dolor tan intenso, al mismo tiempo le producía un sentimiento agridulce. Juana sólo creía haber enojado al esposo, cuando perdía al hombre. O, ¿era tal vez consciente de ello? Seguramente no. Poco a poco su apatía pasaba a ser melancolía, su melancolía, abulia. Estaba sufriendo un cambio radical: de la compañía pasó a la soledad y de la salud a la enfermedad. Juana acabó sus días víctima de un idiotismo lento y progresivo. La archiduquesa Juana dejaba pasar los días sentada en el suelo o recostada sobre almohadones, en silencio y en oscuridad; su inmovilismo era casi absoluto, su mirada perdida en el infinito. El único deber que seguía cumpliendo era la reproducción de la especie.

En España enseguida corrieron voces de que Juana había sido embrujada por aquella joven cortesana maltratada por ella; eso era una cruel venganza. Para el orgullo nacional de los españoles, para el arrogante pueblo español era simple y llanamente inconcebible que tan excelsa madre y soberana pudiera tener una hija tan desventurada como Juana. El 26 de noviembre de 1504, la reina Isabel la Católica fallecía en Medina del Campo, transida de dolor y preocupación. La experiencia ya vivida en el castillo de La Mota y las noticias ahora recibidas de Flandes la indujeron a tomar una dolorosa decisión, en aras de su pueblo, sobre la sucesión de la Corona. En su testamento dejó dispuesto que en caso de incapacidad de su hija Juana, su esposo, el rey Fernando, ocuparía la regencia de Castilla hasta la mayoría de edad del príncipe Carlos, su hijo. De Felipe el Hermoso, ni una palabra. Y esta circunstancia dio pie a que entre Fernando y Felipe hubiera una larga serie de intrigas, totalmente indignas de ellos, reclamando tener derechos sobre la Corona. La tragedia en torno a Juana, como vemos, también ensombreció la buena ventura del país. Aquella obra maestra llevada a cabo por la reina Isa-

bel sufrió una grave crisis durante varios decenios y a
punto estuvo incluso de acabar en ruina.

5.

En la cabeza de Fernando bullía tenazmente como una
obsesión, la cláusula de las Cortes de Aragón garantizando
el derecho a la Corona, de un posible hijo suyo en segundas nupcias. El hecho de que eso pudiera producir una escisión en un reino que con tanto esfuerzo y sacrificio había
sido unido, no le influía nada en sus ambiciones. Sólo tenía cincuenta y dos años de edad y aún era capaz de en-
gendrar hijos. Nada, por tanto, le impedía contraer nuevas
nupcias. Así que, pensó primero en la Beltraneja que, víctima inocente de turbulentos altercados, estaba recluida en
un convento de Portugal desde hacía muchos años. De
Veyre, un flamenco al servicio de Felipe el Hermoso, se enteró de esto y rápidamente viajó a Portugal para acudir al
rey solicitando ayuda, y éste sacó inmediatamente a la Beltraneja de su convento, para ponerla a salvo. Don Fernando, además de interceptar la correspondencia entre
Felipe y su hombre de confianza De Veyre, apresó al secretario de este último, amenazándole de tortura e incluso
muerte si no le descifraba el contenido de aquellas cartas.
Al tiempo que sucedía esto, don Fernando ya había presentado a las Cortes de Castilla el testamento de su esposa
la reina Isabel y el diario de Móxica y, lógicamente, enseguida obtuvo el reconocimiento de incapacidad de su hija
y la regencia de la Corona de Castilla. Pero más aún, don
Fernando quería que su hija Juana abdicara de sus derechos en favor del padre y con tal objeto envió a Bruselas al
obispo de Córdoba, Juan de Fonseca y al secretario, Lope
de Conchillos[39]. Estos dos hombres deberían regresar a España con un documento firmado por Juana. Felipe llegó a
tiempo de hacerse con aquel papel, y algo después el secretario Conchillos confesaba en el potro de tortura cuáles
eran sus propósitos. (Fue una tortura un tanto despiadada

39 PADILLA, 125, 129.

que le dejó varios días como enajenado.) Felipe, que a partir de la muerte de la reina Isabel se había incautado del título de rey de Castilla, León y Granada, reaccionó tomando medidas muy severas y públicas. Separó a su esposa de su séquito español y prohibió la entrada a palacio de cualquier súbdito hispano residente en Bruselas. Don Fernando aprovechó tales medidas para protestar por la supuesta prisión de su hija y buscó una alianza con Luis XII, rey de Francia, para poder hacer frente a las posibles maquinaciones de su yerno. Así que ofreció al rey de Francia un millón de ducados de oro pagaderos en diez años, que por supuesto nunca pagó, aunque Luis XII le jurara fidelidad en la lucha contra su común enemigo flamenco Felipe. Don Fernando hizo aún algo más; contrajo matrimonio con la sobrina del rey francés Germaine, condesa de Foix, única forma de poder tener el hijo legítimo que la cláusula aragonesa exigía. Para entender bien el comportamiento de Luis XII en aquella ocasión, baste saber que éste ya había firmado previamente un convenio con Maximiliano I, padre de Felipe el Hermoso, comprometiéndose a una paz duradera entre Maximiliano emperador, su hijo el flamenco Felipe y él mismo, rey de Francia, prometiendo además a su hija Claudia para esposa del pequeño príncipe Carlos, futuro emperador.

La respuesta de Felipe el Hermoso frente a la actitud de don Fernando no se hizo esperar mucho. Requirió a toda la nobleza y ciudadanos de Castilla la supresión de séquito y cualquier tipo de tributos a su suegro. Y entonces la nobleza castellana cambió de partido; dejó a don Fernando para pasarse al bando de Felipe con banderas desplegadas, no exactamente por simpatizar con él, sino en defensa de los intereses de Juana, única y auténtica heredera, y buena parte de los representantes de las Cortes también cambió de bando por la misma razón. Se celebraron unas cuantas negociaciones hasta poder llegar a un acuerdo y firmar el tratado en Salamanca, en noviembre de 1505, según el cual quedaba constituido un triple gobierno: el de Juana, el de Felipe, y el del rey Fernando hasta el regreso a España de los dos anteriores. Por fin se habían podido preparar las cosas, para que las Cortes de

Castilla pudieran reconocer herederos legítimos a doña Juana y su esposo Felipe el Hermoso.

Fuertes borrascas retardaron un mes la marcha de los archiduques, hasta que el 7 de enero de 1506, por fin zarpaban de Vlissingen cuarenta carabelas y galeones desplazando un numeroso séquito de damas, caballeros, servidumbre y todo el equipaje. Navegaron felizmente frente a las costas de Inglaterra y después se hicieron a la mar, en pleno océano Atlántico; pero una vez en alta mar, entraron en una callada calma de nunca acabar. En previsión de nuevas tempestades, decidieron volver a puerto para guarecerse a tiempo. Pero no les fue posible. Aquel mismo atardecer se desató una estruendosa y violenta tormenta que duró hasta el siguiente día. Rugientes e impetuosos vientos dispersaron la flota en todas las direcciones y un par de galeones se fueron a pique, hundiéndose con un buen número de pajes, criados y gran parte también de sus aparejos; al día siguiente, sólo una veintena de barcos pudo tocar puerto en Falmouth. El recibimiento de los ingleses no fue demasiado acogedor; tomándoles por invasores, les hicieron frente con sus mesnadas y les impidieron desembarcar. No fue cosa fácil aclararles su situación, pero el trato recibido después de haberlo logrado tampoco fue precisamente hospitalario. Solamente permitieron bajar a tierra a unos cuantos hombres para comprar, a precios exorbitantes, los víveres y municiones necesarios, pero después de pagados, se los volvieron a arrebatar de las manos. Y lo peor de todo era que no sabían la suerte que habría podido correr la nave real. Pues bien, su suerte fue la peor de todas. Pasaron dos días enteros con sus noches envueltos en densa niebla y en un proceloso y enfurecido mar. Durante la tormenta, un repentino y fuerte golpe de viento arrancó el palo mayor de la arboladura y la vela fue a caer al mar. El barco zozobraba de tal modo que parecía hundirse sin remedio. Algo irremediable estaba a punto de suceder. Súbitamente, un intrépido marinero se tiró al rugiente y enfurecido oleaje para hacerse con la vela; su nombre era Heinrich y era oriundo de Sterlin, y en recompensa fue nombrado guardia mayor del Rey. Ante la proximidad de un naufragio, cundió el pánico entre la tripulación y los egregios viajeros, hasta el punto de que se hicieron muchas promesas y ex votos. Felipe prometió el doble de su peso en plata, como ofrenda al apóstol Santiago; parte de sus nobles hicieron votos de ingresar en la Cartuja; otros muchos hicieron votos de no volver a probar la carne. «No podría escribir todo lo que cada uno prometía. ¡Prometieron tantas cosas!», escribía el conde de Fürstenberg, que viajaba con ellos, a su esposa[40]. En semejante situación, Juana se arrojó a los pies de Felipe dispuesta a morir abrazada a las rodillas de su esposo, mientras que Felipe, angustiado, pensaba en sus hijos que habían quedado en Flandes. Cuando al fin levantó la niebla y el mar parecía calmarse, penosamente llegaron a Portland. Los habitantes de la isla recibieron a los náufragos poco más o menos como los de Falmouth. Sólo permitieron acercarse a dos interlocutores hasta el acantilado. Los flamencos tenían tanta dificultad en hacerse entender por lo ingleses, que los nativos decidieron enviar un mensajero a la Corte de Windsor dando noticia del desembarco de un capitán del rey de Castilla, hombre muy atractivo que viajaba acompañado de una señora; querían saber qué debía hacerse con ellos. Afortunadamente, Felipe consiguió que su secretario viajara también a Windsor, y allí Enrique VII, una vez bien informado, dio orden a una tropa de nobles caballeros de galopar enseguida hacia la costa para recibir y acompañar hasta el castillo de Windsor a aquellos nobles de España. En Windsor, la recepción del rey y el príncipe heredero fue conforme a la *merry old England*. Los monarcas intercambiaron no sólo promesas y buenas palabras, sino las más altas órdenes de Caballería, es decir, la Orden de la Jarretera y el Toisón de Oro. Enrique VII lleno de entusiasmo afirmaba y Felipe simulaba creerlo, que aquellos días serían el origen de una feliz y estrecha alianza entre los tres países: Inglaterra, Flandes y España.

Juana entretanto continuaba viviendo su propia vida, también en Windsor. Saludó a su hermana Catalina, a la que no veía desde hacía mucho tiempo, pero después se retiró al castillo del conde de Arundel en Exeter y allí pasó

---

[40] K. H. ROTH, *Cartas, etc.*, 138.

el resto de aquellos días sumida en su soledad, con una extraña indolencia y sin querer dejarse ver por nadie. La razón de tan extraña conducta se debía a que, a causa de sus morbosos celos, había decidido prescindir de toda compañía femenina. En Bruselas despidió a las pocas damas que aún le asistían y sólo conservó a su lado a una mujer mayor y poco agraciada, para los servicios más burdos. Pero sus extravagancias no entorpecieron la alegría y el buen humor de Windsor. Felipe el Hermoso y sus acompañantes prolongaron su estancia en la obsequiosa Corte inglesa los meses de febrero y marzo. Durante ese tiempo, en el puerto de Falmouth se recompuso la flota medio hundida y el 22 de abril los hombres volvían a embarcar; hemos de hacer justicia y decir también, que el mal tiempo les obligó a retrasar mucho aquel trabajo.

Pero por fin llegó el momento y el domingo 26 de abril, a las dos de la tarde y después de una navegación feliz, la galera real era la primera en hacer su aparición en el puerto de Coruña. Atracaron en Coruña y no en el puerto de Laredo como estaba previsto, por expreso deseo de Felipe el Hermoso. Lo había meditado mucho. De haber desembarcado en Laredo y en el día previsto, seguramente su suegro Fernando les estaría esperando allí y «quizá le hubieran traicionado, vendido, hecho prisionero o incluso asesinado entre todos». Ésa fue la explicación que en su momento diera al emperador Maximiliano I, el conde Fürstenberg, de la guardia de Felipe, escoltado siempre por sus landsquenetes[41]. La alegría del pueblo coruñés era inenarrable. Las autoridades salieron al encuentro del matrimonio para hacerles solemne entrega de las llaves de la ciudad y, entre las salvas del puerto, la fortaleza y las fiestas celebradas en la ciudad, se llegaron a disparar más de tres mil cañonazos de pólvora. Y con esa misma solemnidad se celebraron el resto de las ceremonias. Tuvieron que jurar su acatamiento a los derechos y privilegios del antiguo reino de Galicia, en el interior de la iglesia, y el pueblo les juró igualmente su lealtad. Felipe estuvo de acuerdo en

---

[41] Landsquenetes o «Landsknechte», son soldados alemanes de infantería, muy jóvenes (N. del T).

todo, pero Juana sin mayor explicación, se negó a participar en aquellas ceremonias. Asistió Felipe solo. Era una pública manifestación de la poca afición que Juana sentía por los asuntos de gobierno. Quería ser reina, pero sin gobernar. Ella no quería firmar documentos, ni prestar juramento, ni ser responsable de nada. Felipe tuvo que calmar a los irritados gallegos que en la actitud de Juana sólo veían menosprecio a su antiguo reino.

El 20 de junio de 1506 tuvo lugar el encuentro de los dos reyes rivales en Villafáfila, próxima a Puebla de Sanabria en el reino de León. Allí firmaron un tratado de mutuo reconocimiento como soberanos, Fernando del reino de Aragón y Felipe y Juana del reino de Castilla. Pero al mismo tiempo y en secreto, también firmaron ante Dios, el Crucifijo y los Evangelios pero a espaldas de Juana, estar de acuerdo en impedir la intromisión de la reina en asuntos de gobierno, pues dado su estado de salud mental fácilmente conduciría al reino a una hecatombe. De modo que ella, que antes había traicionado al esposo con su padre, ahora era secretamente traicionada por su esposo y por su padre. Al menos así constaba en documento escrito, de la escisión de un reino que solamente había durado unido un par de décadas. No obstante, nada más firmarlo, Fernando manifestó su absoluto desacuerdo declarando nulo el documento y alegando haber sido obligado a firmarlo, pues él nunca pretendía mermar mínimamente cualquiera de los derechos heredados por su hija. Esta manifestación era, por supuesto, un maquiavélico fraude del rey Fernando que, nada más morir su esposa la reina Isabel, solicitó a las Cortes el reconocimiento de incapacidad de su hija Juana[42].

6.

Entretanto, la locura de la desdichada víctima de todas estas intrigas se iba haciendo cada vez más acusada. Pedro

---

[42] Estos dos textos, el de Villafáfila y la retractación del rey Fernando el Católico, se encuentran en *Colección de documentos inéditos*, t. XIV, y algunos fragmentos también en ZURITA, lib. 7, cap. 7, y en GACHARD, *Collection des voyages*, I, 543.

López de Padilla, miembro de las Cortes de Castilla y máximo defensor de los derechos de la Corona, entre lágrimas refería después de haber visitado a doña Juana, que la audiencia se había celebrado con escasas palabras y éstas carentes de sentido. Padilla había intentado en vano mantener una conversación con ella. Sin embargo, aunque el Almirante de Castilla encontrara extraño su proceder, no estaba plenamente convencido de que aquello fuera exactamente locura. La reina no soportaba más compañía de mujeres que la de su aya, una anciana de feo parecer y peor aspecto; había hecho tapizar con paños y telas de color negro las habitaciones que ocupaba en el palacio de Mucientes, donde su esposo Felipe la había recluido durante un tiempo para poder observarla; ella misma vestía de riguroso luto, portadora de un imaginario duelo, y pasaba los días en un misterioso y patológico sopor. A la vista de esto, las Cortes apresuraron el juramento de fidelidad a ambos esposos, pero doña Juana se opuso rotundamente, justificando su actitud con la afirmación de que España no podía estar sometida a un flamenco, ni a la esposa de un flamenco. Declaró como expresa voluntad suya que el rey Fernando, su padre, fuera el regente de la Corona hasta la mayoría de edad del príncipe Carlos. Tal vez fuera un turbulento sentimiento de rabia hacia su marido, a quien odiaba tanto como amaba, lo que se había apoderado de ella e inducido a manifestarse de aquella manera. Ya estaba embarazada de su sexto y último hijo. El caso es que con bastantes artimañas lograron conducirla a Valladolid, sede de las Cortes, y después de muchas rogativas y no menos zalamerías, doña Juana consintió en recibir el juramento de las Cortes a los tres, a ella y su marido y a su hijo Carlos, príncipe heredero. Era, de hecho y de derecho, reina de Castilla. Sin embargo, un importante capítulo de su vida estaba a punto de dar fin. Su esposo Felipe, llamado el Hermoso, cayó repentina y gravemente enfermo con fiebres muy altas y vómitos, en Burgos. Todo su cuerpo se cubrió de manchas negras e intentaron ponerle remedio con purgas y sangrías, pero Felipe murió sólo seis días después, el 25 de septiembre de 1506. Durante algún tiempo, por

Alemania circulaba un panfleto en verso[43], tratando de recordar este extraño acaecimiento.

In seinem Hals fand man ein Gswer Darab gestorben war der herr. Als landes fürsten und doctor Sagen uns gantz furwor, Das es war ein vergifft feber, Das do entspringt von der leber, Daran er etlich tage lag Und man gros rates hilfe pflag. Es möcht aber alles ghelfen nit, Er must des lebens werden quidt.

Con certeza sólo se sabe que, en efecto, Felipe había sido advertido de que Fernando podría tratar de envenenarle, pero aunque tales indicios existieran, nunca llegó a conocerse la verdadera causa de su muerte. Le extrajeron las vísceras para embalsamarle y las arrojaron al fuego. Los rumores que corrían eran tan claros y precisos que el pueblo creyó más prudente guardar riguroso silencio, por respeto a la dignidad e importancia del cargo. Llevaron a los tribunales a un tal López de Arráoz, acusado de varios delitos, y como este hombre entre otras muchas cosas dijo que el rey le había obligado a catar bocado envenenado, los jueces le dejaron en libertad, por miedo a que aquel hombre supiera demasiado y no tuviera empacho en declararlo[44]. Mientras sucedía todo esto, la cláusula aragonesa se quedaba sin cumplir. Fernando y Germaine tuvieron su de-

---

[43] Una fea llaga apareció en el blanco cuello soberano. / Nobles y doctores dijeron estar envenenado; / del hígado altas fiebres subían y en su lecho hubo de permanecer postrado. / Consultas, consejos, nada pudo recuperarlo. / La vida le habían arrebatado.
K. H. ROTH, *Cartas, etc.*, 153. Otra versión, en *Liliencrons*, 251.
[44] BERGENROTH (p. XXXVII, nota 3) aporta documentos manuscritos sobre este asunto. Y recordemos también que Furstenberg escribía desde Coruña a Maximiliano I: «Participo a V.M. que mi bondadoso señor de Castilla ha comido más de diez veces conmigo y no quiere otros manjares que los preparados a mi estilo alemán». La crónica de Zimmern (ed. de Barak II, 216) y, en su anexo, E. MÜNCH, *Geschichte des Hauses Furstenberg* (I, 422), defienden la hipótesis, enteramente improbable, de que Felipe fuera envenenado por su propia mujer en un arrebato de celos. El informe del médico de cabecera doctor Parra, sobre la enfermedad, está en el t. VIII, p. 394, de la *Colección de documentos inéditos*, y según ese informe, la muerte podía ser atribuida a una inflamación de los pulmones y anginas. Pero no existe absoluta garantía sobre la verdad objetiva de dicho informe.

seado hijo pero éste apenas gozó de una hora de vida. Germaine ya no podía tener más descendencia y eso simplificó mucho las relaciones entre ellos, a pesar de que el ofuscamiento en la mente de Juana, lamentablemente, continuaba empeorando.

Felipe el Hermoso solamente pudo gobernar su reino de Castilla durante un par de meses, pero su temprana muerte le ahorró muchos disgustos. O al menos tres dificultades importantes: no tener que seguir luchando otros diez años frente a su maquiavélico suegro el rey Fernando; estando enferma su esposa, no tener tampoco que reinar y gobernar a un pueblo que le era tan extraño; y por último, no verse obligado a los continuos rechazos a sus vecinos franceses, siempre dispuestos a invadir España y Flandes. La vida de Felipe el Hermoso fue corta y casi no ha dejado rastro. No existen documentos históricos reveladores de sus rasgos característicos como político y soberano, vivió y gobernó demasiado poco. Así que cuando le recordamos como uno más entre los personajes de la Historia, su figura pierde relevancia y pasa casi inadvertida. Sin embargo, cuando le recordamos como persona cobra vida y personalidad propia, pues fue un hombre auténtico, buen hijo de un hombre de alto rango y buen esposo de una reina consumida por la enfermedad. Por Lorenzo de Padilla[45] sabemos que Felipe era un hombre sano, apuesto, ágil, vigoroso, si bien su plenitud de vida fuera algo precoz; de tez clara algo sonrojada y de cabello rubio, propio de pura raza flamenca. Sus grandes ojos sorprendían a todos por la ternura de su mirada. De manos finas y alargadas y con las uñas bien cuidadas, costumbre ésta hasta entonces desconocida; los dientes, en cambio, con caries, algo muy frecuente en la época; andaba con elegancia a pesar de tener dificultades en una pierna. Con frecuencia se le salía la rótula de la rodilla que él mismo discretamente, apoyándose en la pierna sana, volvía encajar en su sitio con la propia mano. Era muy ducho en las armas y en las artes caballerescas y cortesanas, y cuando la rodilla se lo permitía, tanto en equitación como caza, esgrima, danza o juego de pe-

---

[45] *Crónica*, 149.

lota, no había rival que le aventajara. El veneciano Quirini conoció a Felipe en sus buenos tiempos de Bruselas y con entusiasmo elogia su apostura, su habilidad para el deporte y su resistencia física[46]. Fue un hombre moderado en el comer y en el beber; en esto se parecía más a los Habsburgo que a su pueblo flamenco. Tal como hiciera Carlos el Temerario, Felipe exigía lujo y ostentación en todas las ceremonias de la Corte, lo cual no le impedía ser afable y generoso, bondadoso y misericordioso con sus súbditos. Era tan familiar con todos, que a veces iba en detrimento de su propia dignidad de soberano; en esto se parecía más a su pueblo flamenco que a los Habsburgo. En cuanto a su sentido nacional, Felipe era cualquier cosa menos español. Su lengua materna había sido el francés, toda su educación franco-borgoñona, toda su vida sintió singular simpatía por Francia y particular antipatía por España. No tuvo reparos en negociar con el soberano francés cuando sus suegros estaban en guerra con ese mismo soberano; firmó el acuerdo de Lyon con Francia a espaldas de Isabel y Fernando, pese a haber recibido órdenes contrarias terminantes. A Felipe le duraban poco tiempo los enfados y contrariedades, era hombre campechano y bienhumorado; enemigo de permanecer mucho tiempo en un mismo sitio, se aburría, gozaba del bullicio y de las compañías alegres y divertidas. Por eso prolongaba sus estancias en las Cortes alegres y alborotadas como Windsor, Blois o Innsbruck. Y así fue su vida en Bruselas. La distinguida y fría monotonía de la Corte de Toledo le hizo sentirse muy desgraciado. Cuenta Padilla, que Felipe amaba con ternura a su esposa, pero su enfermedad y verse obligado a disimular tanta rareza y extravagancia de ella, le hicieron sufrir extraordinariamente. Que su amor a sus hijos era grande quedó demostrado en las angustiosas horas próximas a un naufragio. Su atracción por el sexo femenino fue motivo de serios disgustos, tanto para él como para su esposa. Secreta y públicamente buscaba la compañía de mujeres bellas y no tenía inconveniente en dejarse acompañar a lupanares. «Es buen hombre, pero algo débil

---

[46] GACHARD, *Monuments*, 60.

de carácter. Se entrega enteramente a sus favoritos, que le van arrastrando de banquete en banquete y de mujer a mujer.» Así le describía el embajador Gómez de Fuensalida[47], persona no grata para Felipe. Evidentemente, según contaba uno de sus cortesanos, su apetito sexual era insaciable[48]. Pero la moral de casi todas las testas coronadas de aquella época era así de relajada, sin contar además las relaciones homosexuales, muy frecuentes en su patria, los Países Bajos. Si la conducta de Juana como esposa no hubiese tenido rasgos patológicos en muchos sentidos, esta pareja habría podido vivir su matrimonio de manera normal, sin inconvenientes y sin especiales contratiempos, habría sido como los demás matrimonios de su época, de su rango y de sus apetitos sexuales.

7.

La inesperada muerte de Felipe el Hermoso no despertó demasiada aflicción entre los españoles que nunca fueron muy amigos de aquel extranjero que, por lo demás, no se recataba en manifestar su desafecto y menosprecio por las cosas de España. Los españoles aún no habían tenido tiempo de olvidar la premura con que abandonó el país en su primera visita a España. Para ellos, Felipe el Hermoso era príncipe consorte sin mayor obligación que la procreación de la dinastía. Después de conocida su muerte, tanto la nobleza como la burguesía de Valladolid se ocuparon de la protección y custodia del pequeño infante don Fernando. Este niño había nacido en territorio español, no como su hermano mayor Carlos, heredero del trono, que naciera en Flandes. El pequeño Fernando gozaba de mayores simpatías para ellos. En cambio, los flamencos llegados a España en el séquito de Felipe el Hermoso, pensaban de muy diferente manera. Para aquellos extranjeros, la reina Juana era peor que los siete males y

---

[47] *Correspondencia*, IX.
[48] *Il luy sembloit qu'il pouvoit beaucoup plus acomplir des oeuvres de nature qu'il n'en fesoit.* GACHARD, *Collection*, I, 459.

había sido sin duda, causante y culpable de la muerte de su soberano y señor. El conde Fürstenberg escribía textualmente al emperador Maximiliano I: *Den grössten veindt, so mein gnediger herr von Castilj hat, an (=ohne) den kunig von Arragoni, das ist die kunigin, seiner gnaden gemahel, die ist böser dan ich E.k.Majestät schreiben kan*[49]. Un autor inédito, que formaba parte del séquito de Felipe en su segundo viaje a España, escribió sin reparo alguno que, abrumado por el turbulento y difícil carácter de su esposa, el príncipe había perdido incluso la alegría de vivir hasta el punto de desear la propia muerte. Al conocer la noticia de que su señor había realmente perdido la vida, este noble escribió sin más ambages que aquella muerte podía atribuirse a la conducta de doña Juana[50]. Juana, la presunta culpable, recibió aquel golpe inesperado con desgarradora amargura y gravedad. La desventurada psicópata había amado ardiente y vehementemente a aquel marido hermoso y libertino en demasía. Los frecuentes devaneos de su esposo despertaron en su mente enferma, junto a un apasionado amor, un profundo sentimiento de odio. Su buena y juiciosa madre también sufrió infidelidades de esa índole; sin embargo, Isabel permaneció siendo siempre su fiel esposa y en su testamento tuvo incluso el generoso gesto de incluir una apología del hombre que había sido su marido y que, en vida, tanto la hiciera sufrir. En cambio en doña Juana, amor y odio prevalecían con la misma violencia; tal vez se debiera a alguna anomalía propia de su incurable dolencia. Juana deseaba amargar la vida del hombre por cuyo amor se consumía. Quería rebajarlo a los ojos de todos en Flandes, en Inglaterra, en España. No permitió que reinara en España y, para impedírselo, renunció a sus derechos rebajándose a pasar por extranjera. Tampoco se preocupó de su propia dignidad de mujer, de ser y comportarse como esposa y

---

[49] «El mayor enemigo de mi gentil Señor de Castilla, exceptuando al rey de Aragón es la reina, su gentil esposa, mucho peor de lo que yo pueda escribir a Vuestra Imperial Majestad». K. H. ROTH, *Cartas, etc.*, 146 (N. del T.).

[50] *En telle ardeur d'amour et folie rage elle se contenoit tellement qu'il n'avoit joye au monde et ne dé oit que la mort... De laquelle chose le bon roy avoit sy gran deuil que sans faute s 'a ésté une des principales causes de sa mort.* GACHARD, *Collection des voyages*, I, 551, 559.

como reina. Era sumisa y complaciente en un único ámbito, el tálamo conyugal. Allí no existían odio ni represalias, sólo amor y sumisión. La inesperada y prematura muerte de su amado esposo la hirió en lo más profundo de sus entrañas; su desgracia ahora era infinita.

8.

Inmediatamente después de la muerte de Felipe el Hermoso, sus consejeros venidos de Flandes pusieron a salvo todo lo que era patrimonio de la Corona de los Países Bajos: joyas, piedras preciosas, los maravillosos tapices, las vajillas de plata. El conde de Nassau y el Señor de Isselstein se ocuparon de trasladarlo todo a un barco anclado en el puerto de Bilbao. Buena parte de la plata tuvo que quedarse en España para poder sufragar las deudas a nobles, banqueros y comerciantes, que Felipe el Hermoso dejara en herencia. Aquel trasiego fue causa de la pérdida de numerosas piezas, obras de arte. Se perdieron algunas piezas que formaban parejas por haberse vendido y otras por haberse desviado o incluso por haberse refundido. Otras muchas, sencillamente se echaron a perder o se destrozaron.

El cuerpo de Felipe el Hermoso fue embalsamado y su corazón enviado a Flandes, en un estuche de oro. Felipe había expresado el deseo, como última voluntad, de ser enterrado en el panteón real de Granada; pero doña Juana no se acomodó a ello. Dio órdenes terminantes de depositar el cadáver de su esposo en la Cartuja de Miraflores, cerca de Burgos, de momento. Cada tres o cuatro días, ella iba para abrir el féretro y comprobar que el cuerpo de su esposo seguía igual, que nadie lo había robado, ni cambiado o profanado. Dado que los motivos para los celos habían dejado de existir, consintió disponer de una pequeña corte de damas a su lado. Aquel invierno hubo una epidemia en Burgos y Juana tuvo que trasladarse a Torquemada, en las cercanías de Palencia. Se llevó también el féretro, claro está. A partir de entonces, todos los traslados se hacían de noche. Unos cuantos hombres armados y con antorchas cargaban el féretro acompañados de algunos monjes rezando y entonando salmos, era un cortejo fúnebre. La viuda embarazada, seguía al féretro en una silla de manos. Al llegar el día, el ataúd era colocado en el atrio de alguna iglesia o convento y seguía siendo custodiado por una guardia permanente que evitara la presencia o proximidad de mujeres, monjas incluidas; solamente paraban en conventos de monjes. Algunos de sus contemporáneos han explicado que Juana estaba convencida de que su esposo había sido víctima de alguna hechicería de una mujer celosa y de que sólo era una muerte aparente, temporal; después de un tiempo despertaría, reviviría, y temía no estar presente llegado ese momento. El 14 de febrero de 1507 dio a luz a su hija Catalina, futura reina de Portugal y madre de la primera esposa de Felipe II. Cuando aquella maldita epidemia llegó a Torquemada, Juana se trasladó con el cadáver hacia Hornillos. No es cierto que Juana anduviera errante por toda España con el cadáver de su esposo, eso es sólo una leyenda de la Historia. Lo cierto es que tuvo que moverse varias veces, pero en distancias muy reducidas. De Burgos fue a Torquemada, de Torquemada a Hornillos, de Hornillos a Tórtoles y por último, a principios de 1509 fue a Arcos donde vivió durante algún tiempo. Pero de un lugar a otro no había más de quince millas. Y son también legendarios ciertos rumores de la época, diciendo que Juana abría repetidas veces el féretro para cubrir el cadáver de su esposo de besos y prodigarle toda clase de ternuras. No hay fuentes dignas de crédito para confirmar tales rumores.

Cuando tuvo lugar la muerte de Felipe el Hermoso, Fernando se encontraba en el reino de Nápoles, que Gonzalo Fernández de Córdoba conquistara a Francia entre 1503 y 1504 tras varios años de guerra. Después de morir Felipe, la situación en Castilla era de gran inseguridad y, aquel mismo día, los heraldos daban a conocer por las calles de Burgos una especie de ley marcial: el que fuera visto armado, sería azotado en público; si alguno desenvainaba la espada, le cortarían la mano; si alguno era culpable de derramamiento de sangre, sería castigado sin juicio previo. Los representantes de la nobleza acordaron dejar el gobierno interno del reino en manos del arzobispo Cisneros, hasta que regresara Fernando y que las siguientes Cortes de Castilla se definieran en algún sentido. Cisneros envió a sus emisarios al rey ausente para que apresurara su vuelta, pero Fernando dio largas al asunto respondiendo al arzobispo y administrador del reino, que él tenía otras obligaciones que cumplir y, por tanto, le rogaba le mantuviera regularmente informado de la buena marcha de los asuntos. Fernando, con esto pretendía dar tiempo a que la anarquía se implantara de nuevo en el país para, a su vuelta de Nápoles, ser recibido como pacificador de un pueblo en estado de emergencia. Y sucedió según sus deseos. En provincias, los nobles sometidos por la fuerza en tiempos de la reina Isabel se sublevaron y volvieron a tomar las armas; hubo revueltas y agitaciones de norte a sur del país. Doña Juana seguía totalmente desentendida de los asuntos de gobierno y se negaba rotundamente a firmar cualquier decreto que le presentaran. Ella ya tenía suficiente con cultivar el culto al cadáver de su marido. Finalmente, en julio de 1507, Fernando tuvo a bien regresar de Nápoles. Apareció en España, ante los suyos, tal como había imaginado, como nuevo establecedor del orden. En Tórtoles se reunió con su hija, y el resultado de aquel encuentro familiar fue que Juana hizo cesión incondicional del gobierno de todo el país a su padre. No contento con esto, Fernando pensó que para alejar de allí a su pobre y enferma hija y reina, lo más indicado sería concertarle un nuevo matrimonio. Enrique VII de Inglaterra estaba dispuesto a casarse con Juana, había asegurado que no le preocupaba su estado de salud, pues su fecundidad había quedado bien demostrada y eso era lo que realmente importaba. Enrique VII, evidentemente, ocultaba su verdadera ambición, que consistía en una anexión de la dinastía inglesa a la española. Fernando sancionó aquel proyecto sin más miramientos, a pesar de que su hija Catalina fuera la viuda de un hijo de Enrique VII y nueva esposa de otro de sus hijos y futuro rey Enrique VIII (por tanto, dos veces su nuera). Fernando no puso ninguna objeción a la moral y los principios ingleses. Pero Juana respondió a semejante propuesta que a ella no se le podía exigir tomar tal decisión, cuando su marido y único señor aún no había sido siquiera enterrado; no ha-

bía que apresurarse, aquel asunto podía esperar. Sin duda
alguna la locura de la pobre doña Juana, que le hizo pensar que su adorado muerto estaba sólo hechizado y en
cualquier momento podría resucitar, la libró del mismo
martirio que sufrieron su hermana Catalina y la hija de
ésta.

En la pequeña ciudad de Arcos, entretanto, su vida se
abismaba en un alto grado de embrutecimiento. Solamente de vez en cuando tenía repentinos accesos de cólera
y agredía a sus criadas y damas de honor, lanzándoles cazos
y escudillas mientras las pobres mujeres huían despavori-
das a ponerse a salvo acabando por dejarla sola. Juana pasaba semanas y meses negándose a cambiarse de vestidos y
ropa interior, degenerando hasta una extrema suciedad.
Sus parientes más próximos eran sus dos hijos pequeños,
Fernando y Catalina, hija póstuma de Felipe. Los cuatro
mayores, el príncipe Carlos heredero del trono y las infan-
tas Leonor, María e Isabel, vivían en Melcheln, sin que su
madre se preocupara y ni siquiera los mencionara, bajo la
custodia y tutela de su tía Margarita, hermana de Felipe el
Hermoso. La relación que existe entre estos niños es muy
peculiar. Estaban divididos en dos grupos, español y flamenco; el primero formado por Fernando y Catalina, y el
segundo por los los otros cuatro. Estos niños, además de
educarse en países y con nodrizas de pueblos muy diferentes, crecieron en dos ambientes totalmente contrapuestos y
al arrullo de dos lenguas muy distintas. Fernando y Catalina recibieron una educación típicamente española, mientras que Carlos y sus hermanas, marcadamente flamenca;
la lengua materna de los primeros era la española, la de los
otros cuatro era la lengua francesa. Esas diferencias existie-
ron durante toda su vida y fue uno de los motivos por los
que siempre hubo cierto distanciamiento entre ellos. Además, cuando los hermanos finalmente se conocieron, habían transcurrido ya bastantes años. Isabel ya había cumplido veinticinco años cuando viera por primera vez a su
hermana menor Catalina. Y Carlos y Fernando tenían dieciocho y catorce años respectivamente, cuando se conocieron. Las relaciones entre estos seis hermanos no fueron
fáciles, aunque los cuatro flamencos se sintieran estrecha-

mente unidos entre sí por lazos de auténtico cariño fraterno y de adhesión. A esta pequeña tropa infantil de doña Juana la Loca la estaban esperando todas las coronas de Europa: Carlos fue rey y emperador y también Fernando. Pero además, Leonor fue reina de Portugal y más tarde de Francia, Isabel fue reina de Dinamarca, María reina de Bohemia y Hungría, y Catalina fue reina de Portugal. Isabel murió muy joven (en 1526), y sus hermanas enviudaron tempranamente y tuvieron muchos conflictos con sus hijos.

9.

Cuando el rey Fernando supo que su proyecto de casar a Juana con Enrique VII se había frustrado por el fallecimiento de este último, decidió alejar definitivamente a Juana internándola en el castillo de Tordesillas, no lejos de Valladolid.

Tordesillas era una pequeña y hermosa ciudad de antigua y merecida fama; desde el *anno Domini 939* constaba en documento histórico por sus hazañas bélicas. Estaba pintorescamente situada en el valle del Duero, entre verdes prados y viñedos, y circundada por una muralla. Al fondo del valle muy cerca del río, encumbrado en un collado, estaba el castillo desde cuyas almenadas torres podían divisarse grandes extensiones de tierra. En días clareados, se podía ver Medina del Campo al sur, y subiendo hacia el norte, Valladolid estaba a sólo seis leguas de distancia. El castillo, del cual actualmente no queda rastro, era de construcción muy antigua conforme a su época, es decir, a una época de continuas luchas contra los moros en la que había que defender el territorio español pulgada a pulgada. Más que palacio residencial era una fortaleza provista de almenas, troneras, fosos, rejas y puentes levadizos. El solar y las escaleras de piedra o embaldosadas para prevenir los fuegos. Las dependencias sombrías y poco acogedoras, de techos muy altos, muy frescas en verano y demasiado frías en invierno, carentes de comodidad. Parte del castillo estaba cerrado, vacío de muebles y deshabitado desde hacía muchos años. Generalmente, en los castillos solamente habitaba el castellano y su familia, pero aquél estaba ocupado solamente por pajarracos y búhos, anidados en las brechas y oquedades de los muros. Una leyenda decía que este castillo daba alojamiento cada cien años a una reina prisionera. En 1384, el rey Juan I de Castilla envió allí, desterrada, a su esposa Leonor; la desdichada no volvió a salir hasta después de su muerte. En 1430, la reina Leonor de Aragón estuvo allí prisionera para que no pudiera acudir en ayuda de su belicoso hijo. Y ahora, este solitario y desolador castillo iba a dar alojamiento a una enferma y desolada reina. Juana vivió prisionera en Tordesillas cuarenta y seis interminables años, antes de ser rescatada por la muerte.

Su primer vigilante fue el aragonés mosén Luis Ferrer, auténtico carcelero que se vanagloriaba de haber introducido en el castillo el silencio y la rigurosa disciplina de un convento. El féretro con el cadáver de Felipe el Hermoso fue conducido hasta Tordesillas y depositado en la cercana iglesia de Santa Clara, de forma que doña Juana pudiera tenerlo siempre a la vista desde su estancia. Los restos de Felipe el Hermoso recibieron cristiana sepultura sólo después de la gravedad mental de Juana, cuando la memoria y el espíritu de su viuda no podían ya recordar el pasado. Felipe fue enterrado en el Panteón de los Reyes, en Granada, como había sido deseo suyo. En cuanto al rey Fernando, éste entregó su alma a Dios el 23 de enero de 1516, siete años después de la reclusión de su hija en Tordesillas. Poco antes de morir llamó a sus consejeros (Galíndez Carvajal nos lo cuenta como testigo presencial)[51] y les confesó su desagrado por la sucesión de Carlos. Tras fuertes y enérgicas polémicas, los consejeros consiguieron que Fernando decretara en su testamento la regencia del reino en la persona de su otro nieto el infante don Fernando. El rey añadió a eso otras dos disposiciones: el nombramiento de Cisneros, hombre dotado de inagotable fuerza y energía, como administrador del príncipe Carlos legítimo heredero, y también dio expresa orden de que silenciaran su

---

[51] *Anales*, 343.

muerte a su hija Juana, pues bien sabía él que en caso de enterarse, Juana podría causar graves trastornos. El resto de su testamento contenía más disposiciones y recompensas. Su viuda Germaine de Foix recibiría una renta anual de 30.000 ducados; el infante don Fernando una herencia de 50.000 ducados, por una sola vez; el Duque de Gandía debía ser mantenido de por vida; al Almirante de Castilla había que restituirle una ciudad que le habían usurpado; a la reina de Nápoles había también que devolverle algunos bienes de su reino que eran de su propiedad. También destinó 5.000 ducados para el servicio de la casa real, y otro tanto para el rescate de esclavos cristianos y para pagar la dote a muchachas huérfanas. El moribundo rey tenía muchas culpas que reparar y muchas viejas heridas que sanar. Pero fue fiel a sí mismo hasta la muerte. Él se limitó a dejar hechas todas aquellas recomendaciones y promesas, pero los medios para llevarlas a cabo, era cosa que debería solucionar su nieto y legítimo heredero Carlos.

Evidentemente, la tragedia siempre estuvo próxima a la regia personalidad de Fernando. Él, que desde un principio luchó tanto, que tanto combatió e incluso intrigó, que fue capaz de mentir y engañar pensando siempre que era en provecho de los suyos, de los de su propia sangre y en favor de los intereses de los aragoneses y de los del pueblo español, acabó sus días viendo y teniendo que aceptar que su cosecha fuera recogida y a parar a manos de una raza extranjera. Su nieto y heredero Carlos de Gante era hijo y nieto de un Habsburgo y bisnieto de un borgoñón, era un príncipe extraño a los españoles, que incluso desconocía su propia lengua. Fernando fue, de entre todos sus contemporáneos, el primero en presentir y comprender con inmenso dolor el anti-españolismo que aquella evolución podía llevar consigo.

10.

En el otoño de 1517, los dos jóvenes Carlos y Leonor dejaron los Países Bajos para trasladarse a España. Carlos acababa de ser proclamado en Bruselas rey de Castilla y

Aragón, cuando sólo contaba diecisiete años de edad, y ahora se trataba de encontrar la forma de que doña Juana aceptara ese nombramiento, pacíficamente. Juana pensaba que su padre vivía y gobernaba el país, ¿cómo pues, convencerla de que era mejor que nombrara rey a su hijo Carlos? Con esta finalidad urdieron una pequeña comedia que Carlos y Leonor deberían representar durante una visita a su madre. El joven rey todavía carecía de voluntad propia y su antiguo preceptor, en aquel momento mayordomo mayor, Chièvres, era quien realmente pensaba y decidía por él. Chièvres mantuvo una primera conversación con Juan de Ávila, confesor de la reina, y con Estrada, su ayuda de cámara, y entre los tres forjaron el plan a seguir. Chièvres sería el primero en saludar a doña Juana; empezaría hablándole de Flandes y a continuación de la próxima visita de sus hijos Carlos y Leonor que ella podría ver en cuanto lo deseara, desde luego, cuanto antes mejor. Y entonces harían su entrada los dos hermanos y, acompañados siempre por Chièvres, se acercarían a saludar a su madre. Un camarero de la reina, Laurent Vital, hombre de incontenible curiosidad muy interesado en presenciar la escena, nos ha dejado constancia de aquel encuentro. Al parecer, tomó un pesado candelabro y trató de iluminar y abrir camino a los jóvenes hasta las dependencias de su madre, pues como sabemos, las habitaciones de doña Juana permanecían siempre a oscuras. Pero Carlos, con cierta brusquedad, le hizo retroceder asegurando no necesitar más luz. En aquella audiencia sólo estuvieron presentes Chièvres, acompañado de dos caballeros flamencos, y dos damas de la reina. Después de hacer su aparición por la puerta y de las tres consabidas reverencias, ambos hermanos se aproximaron a su madre. Juana abrazó a sus hijos y entonces Carlos, que aún no dominaba la lengua española, dijo a su madre en francés «*Señora, vuestros obedientes hijos se alegran de encontraros en buen estado de salud: ha tiempo deseábamos haceros rendimiento y prestaros nuestros testimonios de honor, respeto y obediencia*». Escuchó la reina estas frases sin dejar de sonreír y, alargando sus manos, tomó una de Leonor y otra de Carlos al tiempo que también en francés les decía: «*¿Sois de verdad mis hijos? ¡Cuánto habéis crecido en tan poco tiempo! Puesto que* *debéis estar cansados de tan largo viaje, bueno será que os retiréis a descansar».* Hacía doce años que no se veían y ni a ellos ni a la reina se les ocurrió añadir nada más. La audiencia había terminado. Carlos, muy aliviado de un gran peso, y Leonor se retiraron, haciendo de nuevo las tres grandes inclinaciones de rigor. Pero el astuto Chièvres quería forjar el hierro mientras aún estuviera candente, y se quedó con la reina para hablarle de nuevo de sus hijos: su esmerada educación y buenas maneras, su inteligencia, muy en particular la de su hijo Carlos que, a pesar de sus pocos años, era tan consciente de su responsabilidad que la reina podía depositar en él toda su confianza; tal vez Carlos fuera la persona indicada para ayudarle a llevar sobre sus hombros parte de las pesadas cargas de gobierno, así la soberana podría por fin descansar un poco. ¿Por qué no aprovechar tan buen momento y traspasar a su hijo parte de sus deberes y obligaciones? Además, de ese modo, el joven regente estaría vigilado de cerca y aconsejado siempre por su madre, aprendería de labios de la propia reina la mejor forma de gobernar. Con estos razonamientos y otros argumentos parecidos, el zorro astuto de Chièvres logró persuadir a doña Juana que, finalmente, dijo: «A partir de ahora, mi hijo Carlos gobernará el país en mi nombre».

De todos sus hijos, Juana sólo tenía a su lado a Catalina, su hija más pequeña, de sólo diez años. Catalina era su preferida porque se parecía mucho a su padre en todo, pero muy especialmente en su sonrisa y en su forma de reír. Pero esta pobre criatura había sido condenada a sacrificar su alegría desde su más temprana edad. Vivía bajo la custodia de una madre muy enferma, loca, y su vida era por tanto muy triste, incluso perjudicial para la salud. Su infancia transcurrió en solitario, sin poder salir de aquellas habitaciones contiguas a la estancia de su madre. Su mayor entretenimiento consistía en observar desde alguna ventana a todos los caminantes que pasaban por las cercanías del castillo cuando se dirigían a la cercana iglesia. A veces se distraía llamando a los niños para que se acercaran a jugar al pie de su ventana. Eso era motivo de gran regocijo para la pobre Catalina, y desde la ventana les echaba algunas monedas para animarles a que volvieran. Su única compañía eran dos viejas criadas, pero sus hermanos recién llegados de Flandes, antes de regresar a la corte de Valladolid, le habían prometido que aquello acabaría pronto para ella. En efecto, la infanta doña Leonor fue suficientemente hábil para sacar a su hermana de aquella triste situación. Leonor sabía y recordaba bien que su hermano Fernando también había sufrido un encierro parecido al de Catalina; su abuelo lo raptó de allí y se lo llevó lejos de su madre, y Juana, dos días después de esto, ya no era capaz de recordar nada de lo sucedido. Informado el joven rey Carlos de aquel plan, enseguida dio su consentimiento. Bertrand, uno de los camareros flamencos al servicio de la reina, recibió el honorífico encargo de llevarlo a cabo. Una escolta de nobles se dirigió al pie de los muros de Tordesillas en espera de la pequeña infanta. En el interior del castillo, antes de llegar a la niña había que pasar por las habitaciones de la madre. Bertrand tubo que abrir un boquete suficientemente grande en el muro del corredor; los gruesos tapices que colgaban para impedir el paso de la luz solar, mitigaron el ruido. A la una de la madrugada entraba Bertrand, en calzas y de puntillas, en la habitación de la infanta. Despertó a su camarera y, después de encarecerle que no gritara, le dijo: «Callad y escuchad el noble encargo que, en nombre de nuestro rey, he de llevar a cabo». Para entonces, Bertrand era ya de todos conocido como hombre de entera y merecida confianza, y haciendo de los deseos de su señor órdenes, cumplió debidamente su cometido. Despertó a la niña y le dio a conocer su plan: había llegado la hora de la liberación que sus hermanos de Flandes, dos meses antes, le habían prometido. Pero entonces, para admiración de muchos, la infanta muy juiciosamente expuso ciertas condiciones. Catalina deseaba permanecer dos días muy próxima al castillo, hasta conocer la reacción de su madre. Si su madre la olvidaba, iría gustosa a la corte de Valladolid con sus hermanos, mas si la reina se entristecía y reclamaba su presencia, volvería junto a su madre todo el tiempo que hiciera falta. Bertrand no se dejó conmover por sus palabras, eran órdenes del rey y debían acatarlas y conducirla a Valladolid. La pequeña no tuvo más remedio que ceder y, con los ojos llenos de lágrimas, se dejó vestir por sus damas y después salir por el boquete del muro. Nobles caballeros la esperaban montados en briosos corceles; también había damas de honor y algunos hidalgos armados para prestarle su protección. Entraron en Valladolid al amanecer, y allí fue recibida por su hermana Leonor, radiante de alegría. Bertrand se había quedado en Tordesillas para dejar pasar el tiempo, como si nada nuevo aconteciera, y dar así lugar a que la comitiva llegara a Valladolid. Transcurrió todo un día sin que la reina se diera cuenta y echara de menos a su hija. Pero al segundo día mandó llamar a Catalina. La niña no estaba y sus aposentos habían quedado vacíos, pues las dos camareras habían seguido a su joven señora. El orificio en el muro delató lo acontecido y la pobre reina, la desconsolada Juana una vez más reaccionó transida de dolor con lastimeras quejas y nuevas amenazas de no volver a probar bocado hasta que su hija le fuera devuelta. Bertrand, perro viejo, supo elegir la mejor de las medicinas para ella; debían informar enseguida al rey para que éste enviara a sus emisarios a todas las ciudades y puertos y, muy pronto, recibirían buenas noticias. Esto tranquilizó en un primer momento a Juana y, mientras tanto, una vez informado, el rey Carlos pensaba qué sería en justicia lo más conveniente, qué se debería hacer. Y encontró una solución satisfactoria para todo el mundo. Catalina volvió a Tordesillas. Pero esta vez, acompañada de un pequeño séquito; no tenía por qué permanecer encerrada en los aposentos de su madre, podría gozar de cierta libertad, salir al campo, montar a caballo, con juegos y diversiones propios de una niña de su edad y de su rango y condición. Doña Juana aceptó gustosa aquellas condiciones y todo el mundo respiró feliz.

A partir de marzo de 1518, el cuidado de tan noble prisionera, así como de la administración de su casa, fue confiado al marqués de Denia y su esposa[52]. El estado de salud de la reina empeoraba a los ojos de todos. Cada vez era más agresiva y golpeaba con mayor fuerza y frecuencia a sus damas. Dejaba pasar incluso días sin tomar alimento,

---

[52] Su nombre completo era Bernardo de Sandoval y Rojas, marqués de Denia, conde de Lerma.

había que asearla y mudarla de ropa a la fuerza, pasaba las horas muertas en silencio y en la oscuridad, con la mirada perdida en el vacío. Pedía que le dejaran el alimento delante de la puerta sin permitir la entrada a nadie; luego comía algo sentada en el suelo y después arrojaba las escudillas de loza contra la pared o contra las arcas y bargueños[53]. Algunas veces pedía asistir a Misa y lo hacía con gran devoción y recogimiento, pero otras muchas se enfurecía y daba órdenes de desmantelar y quitar todo de su vista: altar, ornamentos, misales. Juana ignoraba que Fernando su padre y el emperador Maximiliano hubieran fallecido; estaba convencida de que el emperador había abdicado por voluntad propia, y cedido la corona imperial a su nieto Carlos. No le sorprendía que su padre no mostrara deseos de verla, porque tampoco ella sentía deseos de ver a su padre. No obstante, ella creía que, de ser necesario, su padre vendría con paternal afecto y autoridad en su auxilio, y eso la tranquilizaba. Juana jugó un pequeño pero muy importante papel en la revuelta de los comuneros, que más adelante comentaremos. Los comuneros aseguraban que doña Juana se hallaba prisionera en Tordesillas gozando de perfecta salud y cordura, porque eso favorecía sus intereses. Consiguieron entrar en el castillo e intentaron sacarla de allí, pero Juana no consintió en ello, no quiso abandonar Tordesillas. Le explicaron que el rey Fernando hacía tiempo que había muerto, pero Juana no quiso dar crédito a sus palabras. Le presentaron las disposiciones para establecer el nuevo gobierno que ellos deseaban, pero Juana, sumida en su letargo, no llegó a leer ni una y se negó a firmarlas. Los comuneros la amenazaron con dejar morir de hambre a su hija la infanta Catalina, si no firmaba, pero Juana no se inmutó. Entonces, intentaron cambiando de medios; hincados de rodillas, colocaron ante ella los decretos preparados para su firma con la pluma de ave y el tintero, y le rogaron y suplicaron con toda suerte de lisonjas. Pero fue inútil; Juana seguía mirando por encima de sus cabezas, con la mirada perdida en el infinito. Pensaron en

[53] A. RODRÍGUEZ VILLA, 406. De un manuscrito de la Biblioteca de la Academia de la Historia.

una última y definitiva medida, llamaron a varios sacerdotes a la estancia de la reina, para que se dispusieran a exorcizar y alejar aquel espíritu maligno que moraba en la regia enferma[54]. También fue en vano. Juana persistía en su indiferencia, mantenía aquella impasible resistencia. Pero lo cierto es que sin saberlo, con su actitud estaba salvando la soberanía de su hijo Carlos, pues, si Juana llega a firmar aquellos documentos, con su firma habría sancionado la legitimidad de un gobierno compuesto por un puñado de hombres que sólo eran unos rebeldes.

El 2 de enero de 1525, la infanta Catalina, a los dieciocho años de edad, en plena juventud abandonaba aquella prisión de Tordesillas que le había sido impuesta, para felizmente desposarse con Juan, rey de Portugal. Desde sus aposentos, su madre veía alejarse aquella comitiva que lentamente se iba confundiendo con el paisaje; hechizada por la escena, Juana no podía apartar su vista de aquella dirección. Permaneció en aquella postura un día entero y una noche. Se habían llevado a su *niña*, eso era lo peor que le hubieran podido hacer hasta entonces[55].

---

[54] BERGENROTH, 293, 305.

[55] Es casi seguro que el marqués de Denia que, junto con su esposa e hijas, tenía el encargo de vigilar a la reina, en algún caso se excediera y abusara de su autoridad tratando a la mísera reina Juana como a un vulgar preso. Por otra parte, las mujeres de la familia del marqués, además de enfadarse cuando Juana se obstinaba en sus cerrazones, también sentían placer en embarullarla aún más, sin compadecerse de ella. ¡Mujeres, al fin y al cabo! Pero igualmente hay que decir, que es enteramente falso lo que G. A. Bergenroth, hombre por cierto de grandes méritos e investigador de archivos, dijera a mediados del siglo XIX sobre esta historia en Tordesillas y luego publicara, a bombo y platillo, como gran y revolucionario descubrimiento histórico. Según él, Juana había sido víctima propiciatoria de la ambición y el fanatismo de Denia, siendo maltratada incluso hasta la tortura, y nunca visitada por su imperial hijo Carlos I, por la razón de que Juana secretamente ¡había abrazado la religión protestante! Es decir, era una española luterana diez años antes de la aparición de Lutero. Nada más falso que eso. Lo que hay de cierto en ello es que Bergenroth no supo traducir correctamente y no comprendió una serie de expresiones de los documentos estudiados en los archivos españoles e investigados por él. El supuesto protestantismo de Juana, lo dedujo arbitrariamente de una circunstancia, también falseada. Gachard, Lafuente y Roesler han desmentido y rectificado esas interpretaciones erróneas, de forma que, en lo sucesivo, la tesis de Bergenroth ya no tiene ningún valor. No obstante y en aras de la verdad histórica, nos parecía conveniente añadir y mencionar aquí ese asunto; para más detalles cfr V. Bibl. (*Maximiliano II*, p. 20), donde también se argumenta la falsa interpretación de Bergenroth.

11.

Al final de su larga vida, el estado general de Juana había empeorado en todos los sentidos. En el año 1552 fue visitada en dos ocasiones por un jesuita llamado Francisco de Borja, a instancias del príncipe Felipe conocedor de que, debido a su deplorable estado de salud corporal y espiritual, doña Juana estaba descuidando sus deberes religiosos desde hacía algún tiempo. Borja mantuvo largos coloquios con ella, pero sin conseguir lo que pretendía. Por fin, tras largos esfuerzos, logró persuadirla de que hiciera una confesión general y después le administró la absolución. Sin embargo, poco después de su marcha, Juana volvió a caer en el tedio y la indiferencia religiosa. A la vista de esto, el príncipe Felipe, aconsejado por Francisco de Borja, envió a fray Luis de la Cruz que era sobrino de Diego Velázquez, que en su momento fue nombrado albacea testamentario por la reina Isabel la Católica. Juana confió plenamente en este hombre. Por fin iba a poder descorrer el velo de su alma enferma y confesar lo que durante toda su vida, por temor, había silenciado y ocultado. Y la pobre desgraciada reina dio rienda suelta a todas sus quejas: se quejó de que las damas de su séquito se burlaran de ella cuando cumplía sus devociones piadosas; que escupieran sobre sus imágenes y estampas; que profanaran su pila de agua bendita e interrumpieran al sacerdote que celebraba la Misa quitándole o dándole la vuelta al misal, y siguió lamentándose de otros muchos abusos de esa guisa. Nadie había allí que la protegiera de los gatos salvajes africanos que las damas escondían entre sus refajos; eran los mismos gatos que ya se habían engullido a su madre la reina Isabel y a la infanta de Navarra, e incluso habían logrado morder al rey Fernando, y ahora querían devorarla a ella. Fray Luis no necesitó mucho para llegar a la conclusión de que la reina estaba completamente loca y, en su opinión, era un sacrilegio administrarle el sacramento de la confesión; la reina era tan inocente de pecado y culpa, seguía opinando, que mucho más que ser digna de compasión era

99

digna de tenerle envidia. Y, de inmediato, regresó a su convento[56].

A su enfermedad mental había que añadir que, con el paso de los años, además iba teniendo otras dolencias y limitaciones físicas. A partir de 1551 sufría de una parálisis parcial en una pierna que la obligaba a renquear. Juana no quiso hacer nada por aliviar aquello y seguía sin permitir que la ayudaran y asearan. Después de tanto tiempo en cama y con tanta falta de aseo, el cuerpo se le fue cubriendo de llagas y úlceras purulentas que no consentía que nadie le curara. Llegó a tal estado, que hubo que recurrir a la fuerza para poder cambiarle la ropa, moverla y tratar de curar sus heridas. Todo su cuerpo era una pura llaga. Cuando cauterizaron todas aquellas pústulas, sus desgarradores y terriblemente lastimeros gritos de dolor se dejaron oír incluso fuera de la fortaleza. En sus últimos momentos, poco antes de fallecer, la reina recobró la lucidez mental y una gran luz se hizo en su entendimiento; parecía como si aquella enajenación y todos sus trastornos hubiesen desaparecido para siempre. Pidió confesar de nuevo con el padre Francisco de Borja y que éste le administrara los sacramentos de la comunión y la extremaunción; confesó y recibió la unción de enfermos, no así la comunión, unos persistentes vómitos se lo impidieron. Francisco de Borja había sido llamado al lado de la enferma con bastante antelación y no se apartó de ella un solo momento. Con el crucifijo en la mano, Borja le recitaba el credo y Juana, a pesar de su estropajosa lengua, procuraba repetirlo. En un último esfuerzo para reunir sus fuerzas, Juana exclamó: *Jesucristo crucificado, ayúdame.* Muy poco después acabaron sus sufrimientos. Era la madrugada de un Viernes Santo, 12 de abril de 1555. La reina doña Juana fallecía a los setenta y cinco años de edad, después de haber vivido cuarenta y seis completamente apartada del mundo, en su retiro de Tordesillas. Bien pudiera decirse que toda su vida había sido un continuo y prolongado viernes santo. Sus restos mortales fueron depositados primeramente en el convento de Santa Clara, en Tordesillas, hasta que en 1574,

---

[56] Su relato al príncipe don Felipe, se encuentra en RODRÍGUEZ VILLA, 391.

Felipe II dispusiera su traslado a la Capilla Real de la Catedral de Granada. A partir de entonces, allí descansan junto a los restos de su amado esposo Felipe el Hermoso y a los de sus padres los Reyes Católicos, Isabel y Fernando. El emperador recibió en Bruselas la noticia de la muerte de doña Juana, veintisiete días después. Las honras fúnebres se aplazaron hasta la llegada de Inglaterra de Felipe II, que había expresado su deseo de estar presente, y no pudieron celebrarse hasta el 8 de septiembre en la iglesia de Santa Gúdula. La hermana de Felipe II doña Juana, entonces regente, también mandó celebrar sus funerales con toda pompa y boato en la iglesia de San Benito el Real, en Valladolid. Y Fernando, hermano del emperador, hizo lo propio en la catedral de Augsburgo. Es estremecedor conocer la magnificencia y la solemnidad con que se celebraron estos funerales en varias cortes europeas, y el abandono y la penuria con que dejaron vivir hasta su último suspiro a esta pobre reina.

El castillo de Tordesillas desapareció hace tiempo de la faz de la tierra. El paso de los siglos desde que fuera abandonado, fue haciendo estragos en él hasta que en 1771 quedó definitivamente convertido en ruinas. No quedó piedra sobre piedra, de otro modo, sus ruinas hubieran sido hasta nuestros días un monumento nacional en recuerdo del pasado.

12.

Siendo una mártir, como fue tanto por la vida que le tocara vivir como por sus terribles sufrimientos, Juana fue también y al mismo tiempo, causa y vehículo de trágica fatalidad para su pueblo y todo su entorno familiar. En la Historia, Juana es conocida como la reina que entregara España y su política de gran potencia europea a los Habsburgo durante más de dos siglos, y también como la reina que llevara a la ruina el imperio de la nación española, que con tanto trabajo y sacrificio levantaran sus padres, los Reyes Católicos. Pero además de esto, Juana dejó una tara fí-

sica hereditaria a su hijo y a su nieto y el germen hereditario de una grave degeneración intelectual a un bisnieto.

Muchos españoles de su época decían de su pobre
reina que estaba embrujada, mientras otros opinaban que
sólo había sido una víctima inocente de un engaño dinástico, y aún quedaban otros muchos que simplemente
creían que era una enferma física, una tullida o algo similar. Sólo unos pocos estaban en el secreto y conocían toda
la verdad; para éstos, la prisionera de Tordesillas era lisa y
llanamente «Juana, la Loca»[57], y así ha pasado a los anales
de la Historia. Algunos historiadores modernos han querido añadir cierta originalidad a esta historia, desmin-
tiendo o poniendo en tela de juicio los fallos y defectos de
la reina. Para Bergenroth, Juana había sido víctima de la
Inquisición, que la hizo enmudecer para siempre. Sin embargo, Gachard dice que esa teoría es pura fábula y en re-
ferencia a su estado de salud afirma: *nullement folie*[58]. Nosotros por nuestra parte, no quisiéramos separarnos de Juana
sin antes consultar algunos criterios y principios de la psiquiatría sobre un caso tan singular como el suyo. La primera información que hemos obtenido es que Juana padecía una enfermedad orgánica muy concreta. En Juana no
se observa una psicosis ni endógena, ni exógena; ni tampoco síntomas de melancolía, ni de locura maníaco-depre-
siva; no padecía de cretinismo, ni de parálisis demencial;
tampoco de epilepsia, ni de idiotismo. Pero en cambio manifestaba inequívocamente todas las características de la *dementia praecox* o esquizofrenia. Su enfermedad debió de ini-
ciarse en edad temprana y sin acompañamiento de otros
fenómenos que pudieran llamar la atención a sus más próximos, de modo que cuando sus allegados se dieron
cuenta, el mal debía estar ya muy avanzado. En opinión de

---

[57] En efecto, su trágica vida y peculiar historia son patrimonio de todo el
pueblo español. Hasta no hace mucho tiempo podía adquirirse un pequeño libro
muy económico, como un folleto con ilustraciones, que se titula: *Historia de la célebre reina de España Doña Juana llamada vulgarmente la Loca*. En la portada puede
verse a doña Juana sollozando desconsolada, echada sobre el féretro de su esposo, y en otra ilustración se ve a doña Juana con las tijeras en la mano, persi-
guiendo a sus damas de honor.
[53] *Collection des voyages*, 3, p. X.
[59] *Psychiatrie*, 436.

E. Kraepelin[59], debió de comenzar en su adolescencia, entre los 12 y los 15 años de edad. Se ha podido saber que el primer colapso significativo de Juana hizo su primera aparición a la edad de 22 años, pero carecemos de fuentes solventes de información para verificar si esos síntomas ya habían aparecido antes y, en caso afirmativo, si hacía poco o mucho. E. Bleuler también explica por su parte[60], que muchas esquizofrenias tienen su primera manifestación después de sufrir una emoción fuerte. Algo de eso le sucedió a Juana. Su enfermedad se hizo notoria a partir de aquellos desgarradores accesos de dolor y desesperación por la marcha de su esposo, cuando éste dejara España en diciembre de 1502, para regresar a Bruselas. Y sabemos además, que aquellas emociones interiores le causaron trastornos psicomotores muy significativos. En noviembre de 1503, Juana recibió el mensaje de su esposo invitándola a reunirse con él en Flandes. La fuerte oposición a que emprendiera ese viaje por parte de su madre, le produjo un trastorno mental grave. Primero fue un creciente impulso en sentido negativo, es decir, una significativa pérdida de autodominio, al tiempo que una gran debilitación de la fuerza de voluntad. Esto dio comienzo cuando intentó forzar su marcha inmediata, dando acceso a unos ataques de cólera verdaderamente exacerbados; eran la manifestación de una manía persecutoria incipiente. Después de aquello, Juana creyó haber sido traicionada por los suyos y estar clandestinamente prisionera y, al rebelarse ante una situación invencible y no deseada por ella, se fue convirtiendo en la pobre víctima de un doble impulso patológico de autoconservación y desdoblamiento de personalidad. La reacción frente a una causa extrínseca invencible, le produjo negativismo catatónico como simple defensa ante las influencias sobre la voluntad, es decir, fue la causa de su irracional y por eso mismo persistente inmovilismo así como de su obstinado mutismo. Otro estadio de su demencia precoz progresiva fue causado por su vida conyugal. En 1503, los celos patológicos de Juana degeneraron a manía sexual de carácter paranoico, a causa de tanta soledad y tanto desengaño. A

---

[60] *Dementia praecox*, 201.

causa de su insatisfacción conyugal, Juana se veía sometida a una presión que rápidamente dio paso e hizo patente su predisposición esquizofrénica. Tanto sus reiteradas huelgas de hambre como sus agresivos prontos, ambas cosas impropias de una dama de su rango, en el fondo sólo eran una defensa de su quebrada voluntad. En cambio, su extraña manía de lavarse la cabeza infinidad de veces, que su esposo consideraba una perniciosa influencia de sus criadas, era signo evidente de un embrutecimiento progresivo[61]. La pobre Juana, de forma casi inadvertida había ido dando grandes pasos en su enfermedad; dejó de vivir en compañía para encerrarse en su psicosis. A partir de entonces, inconscientemente hacía todo lo posible por romper los nexos con el universo exterior. Su negativismo, al principio más bien pasividad absoluta que mensaje de obstinada tozudez, pasó a ser negativismo reactivo, o sea, una reacción a cualquier tipo de imperativo o ruego, que consistía en hacer exactamente lo contrario; le gustaba llevar la contraria a su esposo respondiéndole que haría exactamente lo opuesto a lo que él dispusiera. Sus constantes negativas a participar en cualquier reunión oficial o cortesana, primero en Bruselas y más tarde en España, también eran debidas a una voluntad enfermiza. En un determinado momento comenzó también a tener anomalías de naturaleza depresiva en la vida sexual. Y poco a poco todos sus apetitos, incluso el de la nutrición, se fueron apagando y convirtiendo en actos puramente mecánicos, realizados sólo en respuesta a ciertos estímulos del exterior. El apetito sexual fue el único que perduró en ella, alimentado e incrementado por unos celos patológicos hasta convertirse en maniacodepresivos. Empezó a tener trastornos catatónicos graves (estupor) cada vez con mayor frecuencia. No tenía síntomas de parálisis, pues *de potentia* la enferma tenía movimientos espontáneos, aunque generalmente permaneciera estática, sentada o echada en completo inmovilismo, sin mover un solo miembro de su cuerpo y con los ojos en

---

[61] La forma usual de los esquizofrénicos para reparar sus malas acciones o presuntos delitos, consiste en lavarse repetidas veces alguna parte del cuerpo. Al principio lo hacen consciente y significativamente, pero después es una acción exclusivamente mecánica y asignificativa. Cfr A. BOSTROEM, 66

blanco o sin fijar la mirada. Una característica propia de la esquizofrenia y muy significativa es la siguiente: los enfermos siguen teniendo autoorientación física normal y, además, en todo momento saben quiénes son. Pues bien, en nuestra pobre reina esquizofrénica se daba esta peculiaridad. También puede darse un cierto acompañamiento de otros fenómenos propios de la esquizofrenia, como por ejemplo movimientos estereotipados, algunos gestos u otros fenómenos por el estilo; pero en el caso de la reina doña Juana, carecemos de información fidedigna y los datos llegados hasta nosotros dicen muy poco acerca de la evolución de su enfermedad. Después de la muerte de Felipe el Hermoso, ciertos impulsos y estímulos de Juana desaparecieron absolutamente. Sobre todo, sus celos patológicos dejaron de tener sentido y ellos habían sido fuente principal de su falta de cordura. Pero en cambio, su ensimismamiento se fue agravando hasta hacerse irreversible; ya era imposible pensar en una eventual recuperación de su salud mental, y sin embargo, Juana mejoró algo en algunos aspectos. Al no existir ya ni el fin ni los impulsos anteriormente objetivados en la persona del esposo, aquel primer y agudo negativismo se fue moderando hasta convertirse en una simple apatía. El erudito humanista Pedro Mártir, contemporáneo de Juana, dice en una de sus epístolas: *Caret difinitiva, executivam abjicit,* carece de fuerza de voluntad y reprime toda inclinación a tomar una decisión[62]. Juana sentía una infinita apatía ante el cumplimiento de sus deberes de estado o la práctica de sus deberes religiosos, por la atención a sus hijos nacidos y educados en Flandes e incluso por el debido cuidado y aseo de su propia persona; su abulia alcanzó aquel complejo y doble sentimiento de amor y odio a su eternamente enmudecido esposo. Aunque en un principio custodiara celosamente el cuerpo de su marido, desconfiando de cualquier mujer que se aproximara a él, Juana poco a poco perdió conciencia de aquel deber que ella misma se había impuesto, hasta que un día finalmente dejó descansar al muerto en paz.

---

[62] *Epist.* 351.

El discurso de los esquizofrénicos está muy lejos de carecer de sentido o ser incomprensible[63]. Prueba de ello es que, después de una larga audiencia que Juana le concediera con motivo de su segunda venida a España en 1506, el Almirante de Castilla no se retiró convencido de la locura de la reina; y el astuto Chièvres obtuvo su autorización para que su hijo Carlos se hiciera cargo del gobierno en su nombre, a pesar de su abulia. Lo que realmente trastornara y perjudicara sensiblemente a doña Juana fue su terrible encierro en el castillo de Tordesillas y los inadecuados e inoportunos tratos recibidos durante aquellos años. Según la psiquiatría moderna, lo que más rápida y profundamente puede perjudicar a un enfermo esquizofrénico es el aislamiento y un trato inadecuado. Eso fue lo que agravó, tanto su estupor como sus periódicamente interrumpidos arrebatos de cólera. Así que Juana estando sometida a mosén Ferrer, que alardeaba de haber introducido en Tordesillas el rigor y la disciplina conventual, y bajo la férula de toda la familia Denia, nada tiene de extraño que su enfermedad avanzara aceleradamente. No se le ahorraron ninguna clase de humillaciones, ¡pobre reina!, incluso la más cruel propia del estupor catatónico: el enfermo no es consciente de hacerse todas sus necesidades encima. Y éste ha sido el retrato de una reina, Juana la Loca, o mejor aún la semblanza de una víctima de demencia precoz, según lo que nosotros sabemos por la doctrina y la experiencia de la psiquiatría moderna.

---

[63] Cfr KRAEPELIN, *Psychiatrie*, 452: Durante el desarrollo de esta polifacética enfermedad, la conciencia del enfermo está permanentemente turbada. Pero se ha podido comprobar que en general nunca se hallan desorientados. Aunque hayan tenido un comportamiento extraño durante varios meses, ignorando todo lo de su entorno y haciendo cosas extrañas, el enfermo sorprende de pronto a todo el mundo llamando a las enfermeras por su nombre, quejándose de alguna molestia, informando con todo detalle y máxima corrección de su anterior conducta, o escribiendo una carta a sus familiares dando cuenta de su buen estado de salud actual y rogando vayan en su busca. Suelen añadir incluso sus apreciaciones personales sobre la enfermedad.

III
EL HIJO Y EL NIETO

El príncipe Carlos se hace cargo de la herencia neerlandesa y española. - Proclamado rey en Bruselas. - Viaje por mar a España. - Tremenda decepción por parte de los arrogantes flamencos. - Entrada triunfal en Valladolid. - El fausto de los borgoñones y la sencillez española. - Dificultades de convivencia y los numerosos malos entendimientos. - La túnica corta y la túnica o capa corta. - La marioneta real. - La oposición de las Cortes. - Promesas y realidades. - Carlos es coronado emperador en Aquisgrán. - Sublevación en Castilla. - El partido y reinado de Juana. - La victoria de la nobleza sobre los sublevados. - El regreso del emperador. – Consolidación de su poder en España. - Disolución definitiva del reinado simulado de Juana. - Carlos V se hispaniza rápidamente. - La idea de un imperio universal. - Su reino español. - Su posterior participación en la continuación de la obra realizada por doña Isabel y don Fernando. - El conflictivo año 1555. - Carlos V y Felipe II. - En qué medida, herederos de los males de Juana. - Carlos V, desde su juventud, un anciano. - Los dos retratos de Tiziano. - Una glotonería insaciable. - Melancolía y abulia. - La obstinación como defensa transitoria. - Felipe II, «un poco frío». - Un personaje verdaderamente trágico. - Coleccionista de féretros. - El traicionado. - El calumniado. - Su melancólica seriedad, debida a un grave peso heredado. - La risa ausente. - Tendencia a la soledad. - El Escorial. - Su indecisión también forma parte de la herencia recibida. - El eterno pensare, discorrere e conferire. - La terquedad como compensación. - Carlos V y Felipe II, epilépticos en su juventud. - Equilibrio logrado gracias a la salud en la sangre habsburga y borgoñona.

Caros, un nombre que en España se decía que
para los alemanes significaba lo mismo
que decir gallardo y melancólico...
LEOPOLD RANKE.

Ceterum tanti principis laudis mirabitur et
praedicabit odii favorisque vacua posteritas
FANZISKUZ DUSSELDORPIUS
(† 1630) Sobre Felipe II.

1.

La muerte de Juana la Loca nos sitúa en la mitad del siglo, pero vamos ahora nuevamente al curso normal de los acontecimientos, retrocediendo al año del fallecimiento de su padre Fernando el Católico.

Cuando en la primavera de 1516, Carlos, hijo mayor de Felipe el Hermoso, que cumplía años con el siglo, recibiera por derecho y por testamento de su abuelo los derechos y deberes de la Corona de España, la oscura sombra de la enfermedad de su madre seguía acechando su camino. Era una especie de venganza por el sigilo que, por orgullo y pudor fácilmente comprensibles, siempre había acompañado todo lo referente al castillo de Tordesillas. Nadie estaba enterado de lo que sucedía allí, nadie podía ver a la prisionera, nadie conocía su verdadero estado de salud. Al pueblo únicamente se la había dicho que no estaba en condiciones para gobernar, por motivos de salud. Pero también corrían los rumores entre el pueblo de que, aunque su cabeza no estuviera muy bien de salud, seguramente también sería víctima de alguna intriga dinástica, porque, como es bien sabido, a río revuelto, ganancia de pescadores. Así que consecuentemente con este modo de pensar, en marzo de 1516, el Consejo de Castilla dirigió un escrito al heredero del trono rogándole encarecidamente que, para no herir los sentimientos del pueblo y evitar la amenaza de nuevos disturbios populares, no aceptara el título de rey en vida de su madre[64]. Pero a pesar del escrito, diez días después fue proclamado rey en la catedral de Santa Gúdula. La ceremonia tuvo lugar a continuación de las honras fúnebres celebradas por orden de don Fernando. Entonces un heraldo, inclinando el estandarte del rey al suelo, exclamó tres veces ante la nobleza allí presente: *Don Ferdinad, il est mort*, y después de unos minutos de silencio en señal de duelo, alzando de nuevo el estandarte, proclamó: *Vive Doña Jeanne et Don Charles, par la grâce de Dieu rois catholiques*. Y en ese momento apareció el joven don Carlos, ya sin manto de duelo, y después de subir a la tribuna tomó la simbólica espada de la justicia en sus manos esgrimiéndola mientras las bóvedas de Santa Gúdula se hacían eco de miles de voces que aclamaban: *Vive le roi!* Pronunciando aquel comprometido título de *rois catholiques*, únicamente adjudicado a doña Isabel y don Fernando, sus súbditos creían soslayar las numerosas dificultades que presentaba la legítima proclamación de Carlos. El ruego formulado por el Consejo de Castilla había sido aceptado, pero no acatado.

2.

El 9 de septiembre de 1517, Carlos embarcaba en Flandes rumbo a España. La despedida en Gante no fue fácil. Los generales de todos sus estados se reunieron con él una última vez; en su nombre, el gran Canciller les había hecho saber lo mucho que sentía tener que dejar el país que le viera nacer y crecer, y lo difícil que le resultaba tener que separarse de sus amados súbditos; aunque les dejara, allí con ellos quedaba su corazón. El portavoz a duras penas podía disimular sus sentimientos tosiendo, escupiendo y sonándose las narices; y cuando de forma inesperada el joven soberano improvisó unas breves y entrecortadas palabras de despedida y agradecimiento, prometiendo su regreso en cuanto sus obligaciones se lo permitieran, los corpulentos flamencos no pudieron resistir más, bajaron la guardia y derramaron copiosas y emocionadas lágrimas[65].

Esto, a primera vista podría parecer de escaso interés y, sin embargo, es muy significativo, pues nos muestra el estrecho nexo de unión de Carlos con su país de origen y su pueblo y, por tanto, también nos ayuda a comprender mejor cuán extraño y difícil debió resultarle todo lo que concernía a España. Aquellos lazos espirituales con el pueblo flamenco volvieron a manifestarse, casi cuarenta años después, en Bruselas, en la ceremonia de su abdicación.

La flota real constaba por aquel entonces de unas 40 naves con cerca de 400 hombres; viajaban –entre otros muchos– más de 50 chambelanes, 100 escanciadores, 30 caballerizos, 12 ayudas de cámara y 16 pajes, era el mínimo personal necesario para el servicio directo al joven soberano. La galera real tenía pinturas en las velas. En la mayor, se veía a Cristo crucificado, la Virgen y San Juan flanqueados por las dos columnas de Hércules y coronados por la divisa *Plus oultre*[66]. Era la primera ocasión para que este lema, expresamente pensado para el rey Carlos I por el milanés Luis Marliani, su médico de cámara, pudiera ondear por los mares oceánicos. En otra de las velas ondeaba la Santísima Trinidad; en otra la Virgen con el Niño; o Santiago Apóstol, patrón de España; o San Cristóbal, auxilio de navegantes; o las armas de Castilla y Aragón. La travesía se hizo no sin ciertas dificultades. En la segunda o tercera noche, se declaró un incendio debido a un descuido; el fuego prendió en un galeón que llevaba los caballos de las caba-

---

[65] LAURENT VITAL presenció esta escena y la describe detalladamente (y el resto del viaje a España también), en su narración. *Premier voyage de Charles-Quint en Espagne*.
[66] Los españoles cambiaron a su gusto la forma francesa y la latinizaron en *Plus ultra*. El sentido de esta divisa es: ¡Siempre adelante, más allá de cualquier frontera!

llerizas reales con sus provisiones de heno y paja. La catástrofe fue aún mayor al explotar algunos de los toneles cargados de municiones. A partir de ese momento, el estrépito de los estallidos de las municiones y las explosiones de la pólvora, ahogaba los angustiosos gritos de los hombres y los desgarradores relinchos de los caballos, que se abrasaban a bordo o se ahogaban en el mar. Al rayar el alba no quedaba rastro de cerca de 150 hombres de la tripulación y una docena de meretrices que les acompañaban, ni de al menos cien espléndidos caballos. Pero el cronista también dejó constancia de otros hechos felices y de otras impresiones muy diferentes. Cuenta el cronista que en la costa de Flandes el mar era gris verdoso y poco transparente; a partir de Calais, empezó a tener un color verde claro y cristalino, y en pleno océano y hasta las costas del norte de España, sus aguas eran de un azul cada vez más intenso y transparente. Los gráciles saltos de los delfines y varios bancos de peces afanados cual laborioso hormiguero, fueron deleite para los egregios viajeros durante los días soleados. Algo que conmovió profundamente tanto al cronista como a aquellos ilustres personajes, fue la ternura y devoción con que marineros y grumetes españoles cantaban a la Virgen y a sus santos patronos, cánticos de alabanza y rogativas de protección. El séptimo día de la travesía se cruzaron en alta mar con un mercante vizcaíno, que llevaba de Sevilla a Flandes un cargamento de víveres: vino, granadas, naranjas, limones, olivas, higos, uvas. Aquellos hombres saludaron a su joven rey enviando a la nave real un cesto cuajado de los mejores frutos de su patria. Era el primer saludo de bienvenida que recibía el joven monarca de sus nuevos súbditos. Después de doce días de navegación llegaban felizmente a su destino. Pero hemos de reconocer que el primer contacto del rey con su nueva patria fue bastante desalentador. Todo se había previsto para que la escuadra atracara y desembarcara en el amplio y cómodo puerto de la Villa de Laredo, un poco al este de Santander, y allí le habían preparado un gran recibimiento. Mas los pilotos se desorientaron, perdieron el rumbo y cuando arribaron a puerto y echaron anclas no se hallaban en el puerto de Laredo, sino a muchas millas más al oeste, en el asturiano puerto de Villaviciosa.

Los asturianos ignoraban una posible llegada de su joven rey y, nada más divisar la flota, pensaron en una nueva incursión turca o francesa, así que, armados de lanzas, dagas, cuchillos y garrotes esperaron a los extranjeros, decididos a impedir a toda costa su desembarco. De nada sirvieron los gritos de advertencia de los hombres que aún seguían a bordo, y así continuaron hasta que un vigía enviado por los españoles pudo acercarse lo suficiente para distinguir las banderas y armas de Castilla y Aragón. Entonces se pudo deshacer aquel entuerto. Aquellas buenas gentes de Villaviciosa hicieron cuanto pudieron por desagraviar la afrenta; los notables del pueblo recibieron y obsequiaron a sus ilustres visitantes lo mejor que supieron: con pan blanco y un buen vino, bueyes y carneros vivos. Y también celebraron en su honor una corrida de toros. Pero, a pesar de todo ello, la decepción del joven monarca y de sus mal acostumbrados cortesanos flamencos, no podía ser mayor. Los próceres de aquella región eran auténticos *hidalgos*, los orígenes de su nobleza, anteriores a la Reconquista. Pero esos hombres iban vestidos con toscos jubones de lana y andaban descalzos, se guarecían en pequeñas cabañas y se habían dejado crecer largas y fieras barbas. Sus mujeres también iban desgreñadas, descalzas y, para cubrirse las piernas, en vez de calzar medias usaban bandas de lana. Las viandas eran escasas y de poca calidad. Dormían sobre unos bancos de madera cubiertos de paja, donde pulgas y piojos rebullían felices en su elemento. Así que continuaron enseguida hacia el sur, camino de Valladolid, sede de la Corte española. La flota y su tripulación siguieron viaje por mar hacia el puerto de Laredo. El rey y una parte de su séquito, que él mismo seleccionara, atravesaron pueblos y aldeas abandonados de las manos de Dios: Colunga, Ribadesella, Llanes, Columbres, Treceño, Cabuérniga, Los Tojos y Ampudia eran zonas realmente inhóspitas de los montes asturcántabros. Las paredes que les dieron cobijo en Cabuérniga estaban cubiertas por pieles de oso, pero carecían de mobiliario. En Los Tojos eligieron dormir al aire libre; allí se encontraron con que las cabras, cerdos, caballos, vacas, perros y gatos compartían vivienda con los seres humanos; el hedor era sofocante y todo estaba invadido de pulgas que allí se movían a sus anchas. Pero eso no fue todo. Para mayor asombro de los caballeros flamencos, en Revenga encontraron en su camino a los hombres de las cavernas, gentes que vivían en oquedades y cuevas socavadas en la montaña[67]. Por fin, el día 4 de noviembre llegaron a Tordesillas, donde tuvo lugar la memorable visita a su madre la reina doña Juana que ya conocemos. Y, finalmente, el 18 del mismo mes, hicieron su entrada en Valladolid con una magnificencia y solemnidad dignas de la corte flamenca. La ciudad de Valladolid se engalanó lo mejor que supo para aquella recepción y, si grande era el gentío que esperaba, mayor aún era su entusiasmo. Pero España todavía no conocía la escenificación de semejantes fiestas; precisamente, la exuberante corte flamenca de los Habsburgo fue la que importara a España la pompa y magnificencia de desfiles y cabalgatas y aquel ostentoso alarde de lujo cortesano. Montaron varios arcos de triunfo en cinco o seis lugares diferentes, fabricados con madera y forrados de ricas telas, y engalanaron todos los balcones y galerías con colgaduras de coloridos muy vivos. Barrieron incluso la calzada, lo cual no impidió que, a pesar de tanto esfuerzo, las boñigas del ganado y el barro llegaran hasta las canillas de los caballos. La comitiva estaba formada por varios príncipes, duques, condes, marqueses, barones, y por arzobispos, embajadores y caballeros del Toisón de Oro; también por ayudas de cámara, chambelanes, cancilleres y consejeros; por pajes, heraldos de armas, timbaleros y trompeteros[68], todos ellos desfilando por las principales vías hacia la plaza del mercado, hasta llegar a la iglesia de Nuestra Señora, donde el rey entró primero a orar un rato para después encaminarse a palacio. El joven rey hizo su entrada a la ciudad montado a caballo bajo un palio de brocado de oro y protegido por su armadura de acero, con guardabrazos y grebas como si temiera un se-

---

[67] K. HIELSCHER, *La España desconocida*, muestra las cavernas que, hasta hace un siglo eran no muy distintas a las de la época.

[68] Existen numerosas descripciones de estos desfiles, entre otras, de H. BAUMGARTEN, en la *Historia de Carlos V*, I, 85.

creto atentado; vestía, además, manto de rica seda con los colores gualda, blanco y rojo, cuchillos rojo carmesí y guarnición de piedras preciosas; y llevaba la cabeza cubierta por un bonete de terciopelo negro adornado con vistosas plumas blancas de avestruz. Todos pudieron comprobar con asombro y satisfacción su gran maestría como jinete; después de hacer varios escarceos y piafar soltando espumarajos, su brioso corcel se puso varias veces de manos, *las patas delanteras más tiempo al aire que sobre el suelo*, tal como relata Vital, pero el joven monarca permaneció inmutable, firme y erguido como una estatua de bronce fundido sobre su silla de montar, con tal apostura y gallardía y tan majestuoso, como nunca se había conocido en un joven muchacho de diecisiete años de edad. La impresión que produjo a los españoles –sobre todo a las españolas– fue muy superior a lo que cabía esperar. Para hacernos una idea, Vital afirma que, si él tuviera tantos ducados como admiradoras tenía el rey, sería el hombre más rico del universo.

3.

Los flamencos eran muy gesteros y de complicadas costumbres cortesanas, orgullosos y dados a la bebida, y más que huéspedes se sentían conquistadores y su indumentaria, sus maneras y sus dichos podían herir profundamente los sentimientos de los españoles de recio carácter castellano, arrogantes y muy reservados. Según su procedencia borgoñona, los flamencos se dividían en dos grupos muy diferentes: los *robes courtes* y los *robes longues*. La túnica corta era vestida por nobles, por caballeros con espada, y era utilizada por los príncipes de sangre real hasta los caballeros del Toisón de Oro; mientras que las túnicas o capas largas eran prendas más apropiadas de funcionarios y juristas. De ellos procede un nuevo oficio de funcionariado: el funcionario de gobierno por nombramiento y remunerado. Unos formaban el cuerpo del gobierno y de la Corte y los otros su espíritu; los primeros eran la representación exterior y los segundos el gobierno interior; o dicho de otra manera, los primeros eran la mano izquierda y los segun-

115

dos la mano derecha del soberano. Los de túnica larga in-
fluían mucho más que los otros en las decisiones relevantes, cosa fácil de comprender; dominaban las lenguas, sobre todo la latina, eran conocedores del derecho y de las
leyes, y estaban al corriente de los secretos de los tratados
de Estado. Un testigo presencial[69] de la época inicial del
gobierno de Carlos en España, nos ha dejado una descripción muy precisa sobre el modo y el alcance de su actividad. En las sesiones del Concejo el monarca ocupaba el
trono sobre un estrado; en las gradas se sentaban, a su derecha el tesorero mayor, Señor de Chièvres, y a su izquierda, el gran Canciller Le Sauvage; el resto de los con-
cejales se colocaban en semicírculo. Tan pronto como uno
de ellos o algún embajador presente, acababa su discurso,
los dos dignatarios antes mencionados se acercaban al soberano para cuchichearle algo al oído, supuestamente
para preguntarle su opinión y sus deseos al respecto, pero
lo que realmente hacían era sugerirle la mejor respuesta.
Lo hacían con tanta discreción y compenetración que
nunca se sabía cuál de los dos tenía más responsabilidades.
En los documentos de la diplomacia de aquella época, a
los dos se les cita simplemente como *les régents*, y el propio
Chièvres escribía a un procurador español: *Le chancelier et
moi nous ne faisons qu'une seule personne*[70].

El rey Carlos era efectivamente una simple marioneta
en sus manos y ellos ni siquiera tuvieron el pundonor de
ocultar que eran los hilos que la movían. No obstante y
bien a su pesar, los españoles lo percibieron desde el primer momento. El gran Canciller Le Sauvage prosperó enseguida negociando altos cargos y puestos de relevancia[71].
El señor de Chièvres, tesorero mayor, también obtuvo un
segundo nombramiento para administrar la Hacienda de
Castilla y, además, que su sobrino Guillermo de Croy, joven

---

[69] LAS CASAS.

[70] *Cartas de Ximenez*, II, 240. El moderado humanista ERASMO, ya había com-
probado la gracia del joven rey en Bruselas y quiso dejar constancia de ello: *Placet
animus Principis erga me, vel potius Cancellarii, qui reipsa Princeps est. Opera omnia*, III,
137.

[71] Se ha podido calcular que con esos negocios llegó a ganar medio millón
de ducados en breve tiempo. HENNE, II, 299.

de sólo dieciséis años, después de la muerte del cardenal Cisneros recibiera la sede arzobispal de Toledo, primado de España, orgullo y máximo deseo de toda la jerarquía española. Incluso dirigieron al leal y siempre fiel cardenal Cisneros un escrito, seguramente de inspiración flamenca, para escuetamente comunicarle la gratitud de Carlos por sus méritos y servicios y, si no había nada que objetar, sus servicios habían dejado de ser necesarios; a su edad, era llegada la hora de retirarse de los asuntos de gobierno[72]. Adriano de Utrecht preceptor del joven Carlos, fue nombrado obispo de Tortosa. Spinelly también pensó en la posibilidad de conseguir una prebenda episcopal española para su compatriota, el cardenal Wolsey[73]. El malestar de los españoles ante aquellas actuaciones y sus relaciones con aquellos extranjeros no podían ser peores de lo que eran. Los unos pecaban de vanidad e impertinente arrogancia, y los otros de orgullo herido y crispación. En cierta ocasión, por citar un ejemplo, el conde de Benavente se vio obligado a esperar, antes de ser recibido en audiencia por el gran Canciller, durante largo tiempo y, en venganza por aquel desprecio, al marcharse propinó una paliza a uno de sus engreídos lacayos. En Valladolid, sede del gobierno, el malestar había llegado tan lejos que el clero español prohibió la entrada de extranjeros en las iglesias. Y mientras tanto, el joven monarca seguía tan influenciado por sus consejeros y preceptores, que no se enteraba de los graves inconvenientes de aquel sistema. Chièvres solamente le había educado para gobernar un nuevo y rejuvenecido reino borgoñón en el futuro. Carlos sabía que, después de la muerte de su padre el rey Fernando, Alonso Manrique había escrito al cardenal Cisneros algo sobre España y los españoles, pero había escrito poco y además era falso[74]. Por otra parte, su conocimiento de la lengua española era todavía escaso; en sus audiencias requería siempre la asisten-

---

[72] CEDILLO (*El cardenal Cisneros, etc.*) demostró la autenticidad de ese documento, puesto en duda por algunos. En cualquier modo, Cisneros falleció antes de que llegara a sus manos y, por tanto, la afirmación defendida por algunos de que ese escrito fue un golpe mortal para Cisneros, es insostenible.
[73] *Letters and Papers*, II, n° 3605.
[74] La carta se encuentra en *Calendar of State, Spain*, II, 246.

cia de un traductor y eso era para los españoles –sobre todo para los castellanos– un ultraje, un menosprecio. Las cosas iban de mal en peor. Una de las consecuencias más graves de aquella falta de entendimiento fue la insubordinada conducta por parte de todas las Cortes. Las de Castilla condicionaron su reconocimiento al rey a un riguroso requisito: en lo sucesivo, los altos cargos no estarían ocupados por los extranjeros. El portavoz de las Cortes fue víctima de una insólita y violenta escena con Le Sauvage, que llegó a amenazarle con la expropiación de todos sus bienes e incluso con la pena de muerte; pero no sirvió de nada, porque el representante del pueblo se mantuvo firme en sus condiciones hasta que, finalmente, el rey Carlos cedió en aquella condición. Esto tuvo lugar en la primavera de 1528. Sólo pocos meses después, en el mes de julio, moría Le Sauvage víctima de la peste, pero a pesar de lo prometido, su sucesor en la Cancillería fue otro extranjero, el piamontés Mercurio Gattinara. Otras Cortes, las de Aragón, exigieron que Carlos les mostrara la autorización de su madre para gobernar o el reconocimiento de incapacidad de la reina Juana. Ambas cosas eran harto humillantes para el rey, al tiempo que muy difíciles de llevar a cabo, dadas las circunstancias. Se necesitaron varias semanas de agitados debates antes de lograr que aceptaran al rey Carlos como legítimo soberano junto a su madre, doña Juana. Las de Valencia se negaron a reconocerle como soberano, porque Carlos les había enviado un ministro plenipotenciario en vez de ir él personalmente. También los catalanes tardaron veinte días en decidirse a jurar fidelidad al rey. Y finalmente, las Cortes de Castilla solicitaron volver a reunirse en Santiago poco antes de que Carlos embarcara rumbo a Alemania, para renovar la promesa hecha de que los extranjeros no volverían a ser nombrados para ocupar altos cargos de responsabilidad; y así se hizo..., pero muy poco después, el rey nombraba administrador del reino durante su ausencia, al holandés Adriano de Utrecht. Después de la muerte de Maximiliano I, la elección de Carlos como emperador se obtuvo con facilidad merced a la corruptibilidad de los electores, que buscaban evitar la rivalidad de Francisco I de Francia; esto aumentó aún más la indignación de los españoles. Aquello era una prueba evidente para ellos, de que el rey siempre incumpliría sus promesas y dejaría el gobierno del país al libre arbitrio de los forasteros. El 19 de mayo de 1520, mientras el rey se dirigía hacia Aquisgrán para recibir la corona de emperador, en Toledo estallaba una sublevación llamada de los *comuneros*, en cuyos ríos de sangre podían acabar ahogados los últimos restos de orden y de unidad, que el venturoso cetro de Isabel la Católica había logrado conquistar.

4.

Tres meses después de la marcha del rey Carlos a Alemania, el movimiento sedicioso se extendió rápidamente por todo el reino de Castilla, a excepción de algunas ciudades –como Sevilla, Córdoba, Salamanca y Logroño–, y estableció un nuevo gobierno con sede en Ávila, llamado la Junta Santa y donde estaban representadas todas las Cortes. El administrador Adriano de Utrecht y su equipo fueron destituidos y una pequeña mesnada que les ayudaba también fue disuelta. Seguidamente proclamaron a doña Juana, siempre cautiva en Tordesillas, única y legítima soberana suya y, a continuación, comenzó un exhaustivo acoso a la reina, con rogativas y amenazas, para convencerla de que hiciera valer todos sus derechos. *Bastaba con firmar un documento, para que Vuestro reinado hubiera dado fin,* escribía el afligido y destituido Adriano al emperador ausente. Pero, por suerte para Carlos, la reina Juana no movió un dedo. También concurría una segunda circunstancia muy ventajosa para Carlos. Buena parte de la nobleza aún no había decidido tomar cartas en el asunto, situación ésta que los consejeros de la Corona aprovecharon para montar su plan de defensa. Lo que empezara siendo una lucha contra el rey, acabó siendo una lucha entre las diversas Cortes, y Carlos sacó provecho de aquella situación y, haciendo un llamamiento a la caballerosidad y lealtad de la nobleza, nombró Condestable y Almirante de Castilla para gobernar junto a Adriano, a dos de sus más apreciados nobles[75]. Y con esto, les ganó la partida. Entretanto, los comuneros ya se habían convencido de la incapacidad para gobernar de la reina y dejaron de reclamar la destitución de Carlos; cambiaron de táctica y presentaron un memorándum al rey, exigiéndole una serie de valientes reformas necesarias, de índole política, social y económica. En su opinión, dichas reformas eran indispensables para que las aguas revueltas volvieran a su cauce. No olvidemos que esta actitud de los comuneros sólo era mudar su carácter de revolución en un intento democrático de pedir ayuda. Las ideas no eran nuevas, ni revolucionarias. Estaban inspiradas en los anteriores privilegios y prerrogativas a provincias y comunidades singulares del medievo. Ni siquiera eran estrictamente españolas; en Flandes, los ciudadanos de Holanda, Zelanda y Frisia también gozaban, a partir de 1479, de un derecho otorgado por María de Borgoña: *refuser l'obéissance au prince, s'il enfreignait les franchises des sujets*[76].

Cuando la nobleza fue invitada a tomar partido por el rey, la lucha abierta se hizo inevitable. Después de varias escaramuzas en diversos puntos del país, el 23 de abril de 1521 tuvo lugar una gran y definitiva batalla en los campos de Villalar, cerca de Toro. Bastaron dos o tres ataques para que el grueso de las tropas de los comuneros fuera derrotado; sus capitanes fueron hechos prisioneros y luego decapitados. Sin aquel respaldo de las fuerzas militares, el resto de los sublevados paulatinamente se fue disolviendo.

Después de lo acontecido, Carlos regresó a España, apareciendo a los ojos de todos sus súbditos como la única persona capaz de instaurar el orden y la justicia en un país con sus pueblos enfrentados. Carlos volvía no sólo como rey, volvía siendo rey y emperador y acompañado de 3.000 landsquenetes alemanes y un espléndido cuerpo de artillería a sus órdenes. Evidentemente Carlos podía ser árbitro en un asunto que no le afectaba directamente, pero era manifiesto que por su nueva condición tenía poder sufi-

---

[75] Desde los Reyes Católicos, estos dos cargos habían sido meramente honoríficos y para determinadas familias. Sin embargo, siempre tuvieron mucha ascendencia en la Corte y por consiguiente, gozaban de mucha influencia.

[76] Negarse a obedecer al príncipe, si éste infringía los derechos de los súbditos.

ciente no sólo para juzgar, sino para llevar las cosas a feliz término. Carlos no era un hombre cruel, pero creyó necesario, para entonces y para el futuro, proceder a un castigo ejemplar. El partido de los nobles le sugirió tuviera clemencia y otorgara una amnistía general. Y Carlos accedió. Pero sólo hasta cierto punto, porque concedió una amnistía general a excepción de 290 hombres sublevados que consideró culpables, 20 de los cuales fueron ajusticiados y el resto fueron desterrados y sus bienes confiscados.

Aquella sublevación de los comuneros había sido provocada por un cúmulo de cosas: por la corrupción en la elección del emperador, porque la administración del país estaba en manos de los extranjeros, por el gasto excesivo a causa de las costumbres cortesanas borgoñonas y por las múltiples veces que el rey había faltado a la palabra dada. Pero no porque tuvieran voluntad de derrocar la monarquía e implantar una república. Los comuneros sólo querían evitar el absolutismo monárquico y encauzar las cosas por la vía constitucional y establecer nuevas reformas que ellos creían imprescindibles. Pero el resultado que obtuvieron fue exactamente lo contrario a lo deseado. López de Gómara[77], un hombre de la época, escribía: «Ellos creían reducir así al rey; sin embargo, el poder del rey aumentó significativamente en comparación con el que había gozado hasta entonces». Ésta fue la razón de que la victoria de Villalar fuera tan decisiva y marcara un hito en la historia de España. De forma violenta pero definitiva, sirvió para que el reinado de los Habsburgo se consolidara en España. Así acabó aquel interregno iniciado después de la muerte de la reina Isabel la Católica. Así acabó también aquel lamentable pseudorreinado de la desventurada reina Juana. Y ciertamente acabó y para siempre, el poder de los representantes del pueblo ante la Corona. A partir de entonces sólo servía como compensación contra la nobleza. En Villalar quedaron definitivamente separadas aquellas dos fuerzas, porque desgraciadamente nadie conocía todavía el enorme valor que tienen cuando van unidas. A partir de entonces, han sido siempre dos polos en contraposición

---

[77] *Anales*, 58.

manipulados por el poder del gobierno según su conveniencia. Felipe II recibió de su padre este principio e indudablemente supo utilizarlo con gran sabiduría. Carlos V aprendió mucho de aquella batalla de Villalar. Hombre recto y honrado como era en lo más profundo de su corazón, no se conformó sólo con recibir y quiso también dar. Su educación borgoñona le había influido mucho en las ideas y costumbres de sus primeros años de príncipe y de rey; ahora, siendo emperador, se inclinaba mucho más por un proceso de hispanización. En buena parte aquello podía deberse, qué duda cabe, a que cinco años después de Villalar, Carlos contrajo matrimonio con la princesa hispano portuguesa Isabel y que, a su debido tiempo, su hijo Felipe heredero del trono naciera en Valladolid. Por lo que sabemos, podemos deducir que el memorándum presentado por los comuneros debió de acelerar la boda del emperador celebrada en el año 1525, para asegurar cuanto antes su sucesión. Las Cortes reunidas en Toledo en 1525, sugirieron al emperador contraer matrimonio con su prima Isabel, hermana del rey de Portugal. La princesa Isabel era mitad española y mitad lusitana de origen y de corazón, y mucho más indicada para Carlos que otras princesas pretendientes de familia y origen extranjeros. Y Carlos tuvo además en cuenta otras dos consideraciones: una, que Isabel aportaba en su dote medio millón de ducados y la otra, que siendo hispánica sería más fácil dejarla al gobierno del país durante sus ausencias. A pesar de que todo esto había sido concertado y era un matrimonio de estado, por conveniencia, este matrimonio fue bendecido con el raro don del amor y de la felicidad. Isabel era un muchacha sumamente agraciada, buena, discreta, modelo de esposa y madre, era «una de aquellas mujeres propias para casada»[78], según el juicio de todos los que la conocían. La boda tuvo lugar en Sevilla el 11 de marzo de 1526 y, durante su luna de miel y los siguientes meses, vivieron en Granada. El joven emperador había mandado construir, sobre una colina de la Alhambra, un magnífico palacio de

---

[78] *Anales*, p. 107.

estilo italiano para su esposa Isabel. Este palacio, aún hoy sin acabar, nunca llegó a ser habitado.

La ausencia del emperador de una parte y los continuos desórdenes producidos por las múltiples insurrecciones de otra, apagaron los deseos de los flamencos de permanecer en España. Cuando Carlos V regresara de su viaje, algunos ya se habían ido. En el círculo más íntimo de cortesanos del emperador el número de españoles aumentaba. Cobos fue nombrado su secretario particular y Figueroa, Idiáquez, Juan Manrique y Luis Quijada se contaban también entre sus colaboradores más directos. Sus mejores generales eran dos españoles, Antonio de Leiva y el Duque de Alba. Sus confesores, también eran españoles, Loaysa, Quintana y los dos Soto. Y seguramente, el orgullo nacional de los españoles también contribuyó a estrechar fuertes lazos de unión entre Carlos V y sus súbditos; el creciente poder del Imperio resplandecía allende las fronteras pirenaicas. Que su rey y emperador fuera al mismo tiempo la cabeza universal de la cristiandad, evidentemente hacía vibrar de emoción los corazones del pueblo español. Carlos V demostraba de año en año, ser un emperador avezado en las artes bélicas; esto a los ojos de sus súbditos no menos aguerridos, suponía también un valor añadido. Bajo el mando y las banderas de Carlos V, las tropas españolas cosecharon muchas glorias y victorias en Alemania, Francia, Italia e incluso África. Eran casi siempre guerras contra un enemigo infiel o hereje y eso mismo motivaba más aún si cabe el entusiasmo y enardecimiento de soldados y capitanes. El incipiente luteranismo era una constante amenaza que se extendía sobre la faz de la tierra y el emperador recibió continuos requerimientos de auxilio y ayuda para exterminar esa herejía en Europa[79].

Su firme y decidida ayuda en pro del catolicismo y contra la Reforma, su aprobación a la Inquisición, el efusivo interés por el Concilio de Trento, en una palabra, toda su política de contrarreforma estaba inspirada en el modo de sentir y en las tendencias de los españoles, hasta tratar ha-

---

[79] *Calendar of Letters, Despatches and State Papers, Spain.* Supplement to vols. I and 2 (1868), pp. 376-390.

cer de España el núcleo central de un dominio europeo, encarnado en la persona de su hijo. Cuando le llegó el momento, Carlos V no eligió el país que le viera nacer y crecer, para retirarse a esperar el crepúsculo de su vida. El emperador eligió España; quiso acabar sus días en España, quiso morir y ser enterrado en España.

Evidentemente, el radical cambio de actitud y de planteamientos a partir de la batalla de Villalar, ni fue repentino ni tampoco fue llevado a cabo de forma esquemática. El extranjero Gattinara por ejemplo, fue nombrado gran Canciller en 1518 y permaneció en el cargo hasta su muerte acaecida en 1530; Gattinara se había hecho imprescindible para la política del gobierno del Imperio. Pero a las órdenes de Gattinara había dos españoles en calidad de consejeros del rey, Fernando de la Vega y Hugo de Moncada, con otros cuatro flamencos y un saboyano: el gentilhombre de cámara Conde Enrique de Nassau; el caballerizo mayor Carlos de Lannoy; el gentilhombre Adriano de Croy, Conde de Roeux; Carlos de Poupet, señor de la Chaulx, y el saboyano Bresse, preceptor mayor de la Corte. Tras la muerte de Gattinara hubo que introducir algún pequeño cambio y el círculo de los más próximos al emperador estaba formado por los españoles Cobos y García de Padilla, el borgoñón Nicolás Perrenot, señor de Granvelle, y el antes mencionado Enrique de Nassau. Por lo tanto, no se puede afirmar que el nuevo giro que habían tomado las cosas se debiera fundamentalmente a Villalar, era algo mucho más profundo e interno. Pero Carlos V nunca llegó a ser un español de pura raza como su hijo Felipe II, y tal vez se debiera a que el emperador era en su fuero interno tan universal como en sus ideas políticas y en su concepto del Imperio. Pero esto requiere un poco más de explicación.

Acabamos de mencionar al canciller Gattinara. En los primeros diez años del imperio de Carlos V, Gattinara supo llevar con mano firme y segura las riendas de la política de un imperio acabado de nacer. En su persona se reunían –y llevaba sobre sus hombros– todo el peso de sus varios cargos de consejero, de relaciones diplomáticas con otros países, y de trabajo en la Cancillería. Pero Gattinara, no sólo realizaba su trabajo con extraordinaria energía, sino que además era capaz de ir pergeñando algo aún mejor para su señor. Gattinara vivía y trabajaba con una sola idea: una única monarquía universal. En un escrito suyo del año 1522, dando su opinión acerca del emperador, Gattinara plenamente convencido explicaba que Carlos era: *le plus grand prince des chrétiens et mesme celuy que j'avoye toujours tenu et tiens debvoir estre le monarque du monde*[80]. Esta idea fue también apoyada y reforzada por dos viejos conocidos nuestros: el Señor de Bresse y Adriano de Croy, Conde de Roeulx, ambos procedentes, como recordaremos, de la Corte de Bruselas. Según Contarini, embajador de Venecia, estos dos hombres eran junto a Gattinara las cabezas que dirigían el partido que incitaba al emperador a luchar por una sola monarquía universal[81]. Durante sus primeros diez años de gobierno, Carlos V, estimulado y guiado siempre por Gattinara, se fue familiarizando con aquella idea de imperio. Era la idea de universalidad propia del medievo, cuyo máximo ideal consistía en la unidad política y espiritual únicamente sometidas al Emperador y al Papa. Sus fundamentos morales se basaban en la seguridad de ser una misión divina, en el firme convencimiento de que se trataba de la voluntad y manifiesta providencia de Dios, que el emperador uniera, gobernara y protegiera a todos los cristianos. Y esta convicción se veía reforzada también por otros fuertes. Cuando en el Consistorio del 6 de julio de 1530 fue leído el informe del legado pontificio, sobre el entusiasmo y los esfuerzos de Carlos V en favor del Concilio, los cardenales no pudieron contenerse y exclamaron al unísono: «El emperador Carlos es el ángel enviado del Cielo para salvar a la cristiandad». Y aquel mismo día así se lo escribía García de Loaysa, su antiguo confesor, entonces en Roma. Aquellas cartas que entonces le escribiera Loaysa, son una clara demostración de cómo se inculcaba la idea de una *missio divina* al emperador[82]. Pero aquel alto

---

[80] A. WALTHER, *Die Anfänge Karls V.* 210 A.2., 185-201. Aquí se puede leer un detallado capítulo sobre las tendencias universales y antifeudales de Gattinara.

[81] GACHARD, *Monuments*, 67.

[82] He aquí algunos pasajes de dos cartas del 16 y 18 de julio de 1530 (HEINE, 17 y 20): «Recuerdo que Vuestra Majestad me decía con frecuencia que deseabais dar la vida por Cristo, para darle así gracias por las muchas que de Él habíais reci-

fin de Carlos V se vino abajo con la instauración de los estados nacionales y las iglesias nacionales reformadas. Y con eso también daba fin la gran obra de su vida.

Tanto los indignos pactos de Francia con los otomanos –enemigos seculares de la cristiandad–, como la poca visión de algún Papa y la pérfida traición de un príncipe alemán (Mauricio de Sajonia), precipitaron un cambio que fue radical y decisivo en muchos sentidos, pero que no modificaba ni la causa intrínseca, ni los resultados finales. La política dinástica de Carlos V no era incompatible con su política universalista, más bien manifestaba ser consecuencia de ella. El imperio incrementó su poder gracias no sólo a los turcos, sino a Francia e Inglaterra y también le sirvió para conseguir otro fin aún más relevante. Lo que Erich Brandenburg dijera de que, «su política (de Carlos) dinástica le llevó a una guerra con Francia durante varias décadas cuando, según su concepto de universalismo, más bien debería haber reunido todas las fuerzas católicas para luchar contra los turcos y los herejes»[83], no era del todo cierto. Y no era del todo cierto porque, precisamente, Carlos nunca buscó ni fue causante o detonante de una guerra con Francia; aquellas guerras eran una ineludible herencia recibida de su abuelo Maximiliano.

Durante sus treinta y cuatro años de gobierno en España, Carlos V no tuvo que enfrentarse a graves dificultades, es decir, no tuvo grandes obstáculos que vencer desde su victoria de Villalar, hasta su solemne abdicación en Bruselas. Los españoles se adaptaron a aquellas nuevas orientaciones con orgullo y resignación al mismo tiempo. Con or-

---

bido. Éste es el momento apetecido por Vos; ahora podremos saber si estabais engañado o si hablaba Vuestro corazón. Si fuera necesario vender un reino para, con su producto, curar esta enfermedad, se vendería. Pues con ello ganaríais Vos el mundo en esta vida, y después de muerto, el Cielo que por derecho os corresponde. Pues bien, mi graciosa Majestad, entre estas espinas quisiera yo veros como rosa; entre estas fieras, veros como león; entre estos avaros, veros generoso. Ora necesitáis lisonjas, ora serias amenazas, ora obsequios y bienes temporales. De ese modo deberéis quitar a Cristo crucificado de su Cruz y recompensarle de haberos librado de la afrenta de la más terrible muerte. Dios quiere reconoceros como fiel hijo suyo y que no halléis entre las criaturas, os lo prometo, fuerza que se os resista, mayor que la Vuestra. Todas estarán a Vuestro servicio para que Vos le ganéis la corona de este mundo.
    [83] *Meister del Politik*, ed. E. MARCKS y K. A. MULLER, I, 551.

gullo, porque veían a su emperador llamado a ser pastor y guía de toda la cristiandad de Occidente; con resignación, porque eso conllevaba cargos y cargas. Tan honroso cometido suponía enviar más soldados a los escenarios de guerra en el extranjero, significaba cubrir los gastos económicos y sufrir todos los inconvenientes de la continua ausencia de su soberano. Carlos V tuvo que ausentarse mucho tiempo de España, nada menos que cinco veces, y dejar cada vez un –digamos– representante, haciendo sus veces. Su ausencia más corta fue de nueve meses y la más larga de catorce años; en total, estuvo ausente veintitrés años, gobernando España a distancia. La reconfortante convicción cada vez más firme y consistente, de un imperialismo protector y del próximo dominio universal además del honor de estar luchando por la fe de nuestros padres, fueron las ideas que a duras penas y al menos transitoriamente mantuvieron en pie a un país que veía quebrantado su buen orden y su bastante maltrecha unidad. En todas partes había falta de gobierno y de administración de la justicia, descuido de la hacienda pública, pérdidas en agricultura, industria y comercio. Las diligentes Cortes reunidas en sesión trabajaban implacables, haciendo tanto en lo grande como en lo pequeño, todas las indicaciones pertinentes en cuestiones de gobierno. Se tomaron su responsabilidad tan en serio que, velando por la moral y la salud pública, consideraron necesario decretar ciertas prohibiciones como, por ejemplo, la de las lecturas de baja estofa, entre otras, la de libros de caballería que tuvieran el impacto de Amadís de Gaula o similares. Su rey y emperador acallaba tanto sufrimiento y malestar con buenas palabras, pero sin comprometerse a nada; más bien les recordaba la relevancia de sus objetivos en Europa, requiriendo de ellos fuertes sumas de dinero, tan necesario para poder seguir sus contiendas en tierras lejanas.

Así que, durante aquellos años de gobierno de Carlos V, España sólo era una lejana provincia más de su multiforme imperio; eso, a pesar del inmenso poder de su egregio soberano y a pesar de la enorme relevancia ya alcanzada en Europa, sobre todo después de la conquista de México por Hernán Cortés y la del Perú por Francisco

Pizarro. Pero también habría que decir, que la unificación de los dos reinos de Castilla y Aragón en un solo rey, hizo que la tan deseada centralización del país, arraigara definitivamente. Aquella peculiaridad que hubo antaño, de una unidad de matrimonio, de principios y de disposiciones pero bipersonal, no daba buenos resultados, pues en realidad, Castilla sólo era gobernaba por Isabel mientras que Aragón sólo era gobernado por Fernando. O sea que esa situación impidió una auténtica centralización y además fue causa de una gran discordia después de la muerte de la reina Isabel. Al unificarse el país en una sola persona, aquel inconveniente desaparecía radicalmente. Es más, Castilla a partir de entonces se constituyó en la madre patria, núcleo central del territorio ibérico y sede permanente de la familia real, la Corte y el gobierno. Castilla tomó las riendas implícitamente y de forma definitiva; es un polo magnético que mantiene firmemente unidos a los restantes pueblos hispánicos. Desde entonces, decir Castilla es decir España, y el resto pasa a ser una simple provincia o dominio, como Milán o Nápoles, con un virrey a la cabeza. El castellano dejó de ser dialecto y pasó a ser la lengua literaria del país hasta nuestros días; *hablar castellano* significa lo mismo que *hablar español*, y ambas formas se utilizan indistintamente.

Considerado con más detenimiento y rigor, es cierto que Carlos V estaba preocupado por sus ideas imperialistas y muy afanado en las obligaciones propias del gobierno de un tan poderoso Imperio. Sus continuas campañas bélicas en África, Italia y Alemania, le impidieron hacer gran cosa por España. Para entendernos, digamos que no pudo continuar la colosal empresa iniciada por Isabel y Fernando, no pudo ocuparse de su continuación ni tampoco de su futura extensión. Resulta curiosa la coincidencia de que el abandono de los asuntos e intereses puramente españoles, fuera precisamente a partir de la muerte de doña Juana la Loca. El año 1555 fue un año decisivo. No sólo porque aconteciera la muerte de la desventurada reina. Ese año fue también testigo de la primera abdicación de Carlos V y de la toma de posesión del trono del joven Felipe. España dejaba así el pesado lastre del Imperio; ahora tenía un nuevo rey que sólo vivía para su país y para su pueblo. El pseudorreinado de la reina enferma se había extinguido y con él, toda su época. Felipe II se puso manos a la obra en el mismo punto en el que las frías manos de Isabel la Católica la habían dejado. Aquí y ahora comienza el *siglo de oro* de España.

5.

Carlos V y su hijo Felipe II sufrían una manifiesta propensión a trastornos depresivos en la vida afectiva y en la fuerza de voluntad. Era parte de una herencia espiritual recibida de su madre y abuela respectivamente. Pero calificarles por eso de melancólicos en el sentido estricto que la psiquiatría da a la palabra, sería un error. Porque la melancolía como enfermedad psíquica se distingue por ir siempre acompañada de otros síntomas, como el sentimiento de culpabilidad y la autoacusación de los pacientes con respecto a su vida y milagros, y la argucia y sutileza de sus razonamientos. En Carlos V y en Felipe II no se dieron nunca esos síntomas de la enfermedad. Pero sí es cierto, en cambio, que ambos sufrían reducciones esporádicas en la intensidad de sus sentimientos, no del todo normales; de la entera presencia de ánimo y sin motivo alguno, pasaban a un estado de afligido mal humor con angustias y autorreproches sin acabar de precisar o determinar, a una auténtica acinesia anímica (Gemütsakinese) de inquietante matiz catatónico, rozando los límites de una psicopatía esquizoide. El emperador Maximiliano I siempre alegre y vividor, contemplaba el carácter apático de su nieto Carlos no sin cierto recelo mal disimulado. Cuando después de una larga separación volviera a encontrarse con él, entonces adolescente de dieciséis años, le pareció que era tan impasible como una estatua. En su comportamiento había un cansancio algo patológico[84].

Un año antes, el humanista Pedro Mártir hablaba del muchacho con las siguientes palabras: «Con sólo dieciséis

---

[84] BREWER, II, 2, 938.

años de edad, tiene la formal gravedad de un anciano»[85]. Cumplidos ya los veinticinco años, el embajador veneciano Contarini decía de él: «Por temperamento es de carácter sanguíneo, por naturaleza es melancólico»[86]. Críticas y testimonios muy diversos acompañaron a Carlos V durante toda su vida, y su antiguo preceptor, Leopold Ranke, también escribió de él basándose en algunos informes: «Entonces se produjo en él la disposición a una melancólica soledad que prevaleciera toda su vida y que en realidad era la misma que había mantenido siempre a su madre distanciada del mundo. Carlos no quería ver a nadie que no hubiera sido expresamente llamado por él. Con frecuencia le disgustaba simplemente firmar. Permanecía largas horas postrado de hinojos, en un gabinete revestido de negro e iluminado por siete antorchas. Al morir su madre, a veces creía escuchar su voz invitándole a seguirle. Estando en ese estado de ánimo, decidió abandonar este mundo antes de dejarlo para siempre»[87]. Cuando el Papa Paulo IV tuvo noticias en Caraffa, de la situación de su ánimo y de su prematuro deseo de abdicar, no pudo reprimir un comentario lleno de ironía al decir: *Ahora sí que se ha vuelto loco.* Tiziano pintó dos retratos de Carlos V, donde está perfectamente caracterizado. En el primero viste vistoso traje de corte, manto orlado de pieles, y la mano izquierda sujetando el collar de su perro dogo. Así debía ser cuando engendrara a su hijo Felipe. Su figura era de hidalga esbeltez y bien formada, pero la boca abierta como en una perplejidad propia de la acinesia depresiva, y con la mirada triste y perdida no ya en la lejanía, sino en el vacío. En el segundo retrato, el emperador, apacible y taciturno está sentado vistiendo un escueto traje negro, «parece estar circundado sólo por aire o por un fanal de cristal, con la mirada indolente dirigida hacia lo insondable, en profunda soledad, como un ser enteramente apartado de toda vida»[88].

Su tendencia a la depresión no era mera consecuencia de sus enfermedades conocidas de todos (gota, hemorroi-

[85] *Epístolas,* 561.
[86] GACHARD, *Monuments,* 68.
[87] *Die Osmanen, etc.,* 96.
[88] E. FRIEDELL, I, 310.

des, asma), ni tampoco debida a un agotamiento prematuro por la fatiga, los frecuentes cambios de vida o por fracasos y desengaños; era un mal hereditario de la sangre, que padeció desde la cuna. Y por desgracia, además de la melancolía, enfermedad mental que tanto padeciera doña Juana y que –aunque en distinto grado– tan perjudicialmente influyera en los planes y las realizaciones de Carlos, era también campo abonado para la abulia y la indecisión. Éstas, por su parte, constituyen un fenómeno secundario característico de la esquizofrenia y en este caso, considerando la esquizofrenia de Juana, manifiestan sin lugar a dudas su origen hereditario. Hasta bien entrado en sus veinte años, Carlos fue un dócil instrumento en manos de su progenitor y del que fuera, hasta su muerte acaecida en 1521, su guía y soberano: el Señor de Chièvres. «Carlos está hechizado por su férula», comentaba Pedro Mártir[89].

Hasta la sublevación de los comuneros, Chièvres y Le Sauvage gobernaron el país y a aquel abúlico muchacho exteriormente portador de la corona. Ya dijimos anteriormente, que Carlos en sus manos era como un títere, sin que ellos se molestaran siquiera en disimular quién movía los hilos. Cuando Carlos había cumplido ya los treinta años, desde Roma le escribía su confesor García de Loaysa: «En Vuestra real persona siempre están en lucha la abulia y una inmoderada ambición de gloria. ¡Quiera Dios que el amor a Vuestro honor y Vuestro nombre, venza a Vuestro *natural enemigo!*»[90].

La terquedad de Carlos, en cierto modo patológica, era como una defensa de su naturaleza en contraposición a su gran falta de decisión. Obligado por el apremio de la necesidad, una tendencia se transformaba en su contraria. Tanto la guerra de Smalkalda como cuando huyera al aproximarse el príncipe Moritz, fueron situaciones precedidas por un estado de paralizante abulia; pero aquello de pronto se tornaba en una obstinada idea de victoria, y entonces, pletórico de fuerza y energía previamente acumuladas, no sólo tenía fuerzas para resistir y tomar decisiones,

---

[89] *Epíst.*, 722.
[90] Heine, 6.

sino para salir victorioso de su empresa. Una vez cosechado el triunfo, bajaba la guardia para volver a sumirse en su anterior letargo con más intensidad que antes.

Una forma exterior de la abulia se manifiesta en la falta de dominio para poder frenar o moderar algunos impulsos, y en la incapacidad para promover, en el momento oportuno, actos de la voluntad inhibitorios del desarrollo de la vida instintiva.

Carlos V sufría un apetito insaciable y es, por tanto, buena muestra de lo que decimos. El solícito García de Loaysa le escribía en diciembre de 1530, desde Roma: «Ruego a Vuestra Majestad no degustéis manjares que puedan perjudicaros. Pensad que Vuestra vida ya no os pertenece sólo a Vos, nos pertenece a todos nosotros y si deseáis destruir algo que os pertenece, hacedlo, mas no es justo que destruyáis algo que es nuestro»[91]. Y el veneciano Badoero que conociera al emperador entre los años 1554-1557, aunque de otra forma, también lo confirma[92]. Carlos engullía en exceso, carnes, pescados, frutas y dulces. En sus últimos años en Yuste, comía ancas de rana, sardinas y empanada de anguila, en grandes cantidades a pesar de que esos alimentos le aumentaban el ácido úrico. En su estado físico se daban las mismas anomalías que en el proceso de su estado anímico. Se sometía con heroico tesón a unas curas dietéticas a veces incluso perjudiciales para su salud, pero una vez vencido el enemigo y expulsado el ácido úrico de sus tobillos, rodillas y demás articulaciones, Carlos volvía a las andadas con mucha más intensidad que antes.

Su hijo Felipe tenía los ojos azules y grandes, y junto a la palidez de su tez y a su rubia cabellera, denunciaban a gritos su origen flamenco. Felipe fue en su juventud un apasionado jinete, consumado bailarín y muy aficionado a la caza. Con estos atributos se podría creer que había heredado los rasgos característicos de su alegre y vividor abuelo habsburgo y borgoñón, Felipe el Hermoso. Pero, Badoero, el embajador veneciano, criticaba el temperamento flemático y melancólico de Felipe, cuando éste contaba treinta

---

[91] HEINE, 94
[92] GACHARD, *Relations*, 23.

años de edad[93]. Y Gachard, en algunas cartas enviadas a su hija y posteriormente encontradas, decía de él que era apático y gruñón, como a muchos les gustaba llamarle. Adam von Dietrichstein, embajador austríaco, elogiaba por una parte su carácter noble, honesto y sincero, pero también añadía: *er kans nit also erzaigen wie ers im Hertzen hat, er ist ain wenig «frío»*[94]. Esa segunda piel en su interior, el pudor y la timidez para darse a conocer era uno de los rasgos más significativos de una clara y sincera disposición de aislamiento anímico. Aquella reserva suya corría parejas también con cierta desconfianza y temor a ser traicionado y, con el paso del tiempo, fue lo que le condujo al pesimismo de sus últimos años. *This sad, slow, distrustful man*, (ese hombre triste, lento y desconfiado), dice de él otro de sus recientes biógrafos[95].

Felipe II es probablemente un incomparable y trágico personaje. Los golpes del destino sufridos en el campo matrimonial y familiar durante sus 72 años de vida, de los cuales 42 en el gobierno, más bien parecen un maldito cuerno de la fortuna volcando desgracias sobre su real persona. A los 18 años ya era viudo; a los 27 se casó con una mujer cuarentona, desagraciada y que padecía de hidropesía; a los 33 enviudó de nuevo y se casó esta vez con una niña de quince años; a los 41, se volvió a quedar solo y llevó de nuevo al lecho nupcial a otra muchacha de veinte; diez años después, era viudo por cuarta vez, tenía el pelo gris y estaba rodeado de ataúdes. En aras de la tradición, este hombre solitario con taciturna al tiempo que arrogante tristeza fue reuniendo infatigable, junto a los apilados féretros –unos encima de otros– de sus mujeres e hijos difuntos, también los de sus padres y hermanos, sobrinas y tías ya fallecidos; los enterró a todos en una misma cámara mortuoria, en un panteón real. La maldición de su casamiento consanguíneo y la herencia de una abuela loca fueron a recaer sobre el príncipe Carlos, fruto de su primer

---

[93] *Ibidem*, 36.
[94] M. KOCH, *Quellen*, I, 119. Alto alemán: «No puede mostrar lo que lleva en su corazón, porque es algo frío» (N. del T.).
[95] M. A. S. HUME.

matrimonio; el infante don Carlos era prototipo de una pesada carga hereditaria a través de varias generaciones. Felipe II no tuvo descendencia de su segundo matrimonio: la inglesa hidrópica era estéril. Su tercera esposa, una delicada niña venida de Francia, tuvo partos muy complicados y sólo le dio dos hijas. Su cuarta esposa, una austríaca rebosante de salud, recompensó a su marido dándole muchos hijos, pero éste también era un matrimonio consanguíneo, ella era sobrina carnal de Felipe. Sus hijos fueron muriendo como frutos que no llegaban a sazonar; sólo sobrevivió uno de ellos, un muchacho débil, gordinflón, somnoliento, y éste habría de ser el heredero del trono y continuador de la dinastía. A sus setenta y dos años de edad, Felipe aún no había conocido la alegría de ser abuelo y en vez de estar rodeado de nietos, estaba rodeado de muertos.

A este soberano de trágico entorno también le cupo en suerte toda una sarta de traiciones y rastreras intrigas. Los informes reservados, que la gobernadora de Flandes enviaba al rey Felipe II, eran copiados y entregados en Bruselas, incluso sus originales, precisamente a los mismos para quienes se tenían aquellas reservas. El ayuda de cámara de Felipe II estuvo pagado durante muchos años por Guillermo de Orange, para que espiara al rey detrás de las puertas y para que, mientras dormía, registrara sus armarios y su ropa en busca de papeles y documentos. Cuanto más se rastrean las raíces del gran movimiento subversivo en los Países Bajos, más queda de manifiesto que todo fuera obra de las insidiosas infidelidades de un par de bribones sin principios como Montigny y Orange, y que no fue fruto de un movimiento idealista.

Sobre este gran monarca español se han vertido muchos odios, se han dicho mentiras y calumnias incluso en vida, como aguas turbulentas afluyendo de algunos desalmados cerebros humanos o tal vez de un diabólico lagar, por no hablar también de las sucesivas salpicaduras que han ido ensuciando su nombre en el transcurso de los siglos. Pero y esto, ¿por qué? Porque, además de la desgracia de haber sido víctima de los turbios enredos de un Guillermo de Orange, un Montigny o un Antonio Pérez, el destino había previsto que fuera el protagonista católico en una contienda sin igual; en su tiempo tuvieron lugar los enfrentamientos más crueles y más intensos del catolicismo romano con la Reforma alemana, la romana y la anglosajona, y siempre tuvo muchos enemigos esparcidos por todo el mundo que, como era corriente en su tiempo, no siempre luchaban con las armas más limpias.

En efecto, Felipe II fue un trágico personaje sin precedentes. Pero los dramas sufridos a lo largo de su vida, no nos explican esencialmente sus años de juventud. No tenemos más remedio que aceptar la idea de que era un lastre heredado. Su melancólica seriedad comienza ya en la pubertad. Ni de muchacho adolescente, ni de joven desposado conoció lo que era una juventud bulliciosa, la diversión o el entretenimiento. En tiempos de Carlos V, el jocoso Barón de Montfalconet se permitía, siempre que fuera oportuno, hacer chistes rápidos y mordaces. En las dependencias de palacio era frecuente escuchar las risotadas o alegres carcajadas de los cortesanos y, a veces, llegaba incluso a esbozarse y hacerse visible una sonrisa, en el grave rostro del emperador. Sin embargo, no así en Felipe en sus años de juventud y, desde luego, menos aún siendo mayor. Nadie osaba alzar la voz en su presencia, ni chancearse con ánimo de alegrar un poco aquel ambiente tan frío y severo, como de campana de cristal. Baltasar Porreño decía: «Al rey Filipo de Macedonia nadie consiguió hacerle reír; lo mismo puede decirse de nuestro gran Felipe, a quien nadie le vio reír»[96]. A los dieciocho años, la muerte le arrebató a su joven esposa; Felipe se recluyó en la soledad de un convento sin querer asistir a su entierro, ni ocuparse de los asuntos de gobierno, y sin permitir que nadie se le acercara. El Escorial tuvo su origen en los planes e ideas de un Felipe II a los treinta años de edad, y en esa magnífica obra de arte muchos han creído ver cómo tomaba cuerpo en la piedra, además de sus melancólicos deseos de un retiro en solitario, un íntimo menosprecio por el mundo.

Además de su inequívoca tendencia a la melancolía, Fe-

---

[96] *Dichos y hechos del señor rey don Felipe II, el Prudente, potentísimo y glorioso monarca de la España y de las Indias.* (Sevilla, 1639, 3ª ed., 1748.)

lipe II también había heredado de la reina Juana y de Carlos V, la misma predisposición a la abulia que ellos habían padecido. Cuando en septiembre de 1577, Filippo Sega, nuncio apostólico de Su Santidad, enérgicamente le encareció por encargo del Papa Gregorio XIII, que se decidiera de una vez a luchar con las armas contra Inglaterra, Felipe con mucha parsimonia le explicó por qué no podía tomar una decisión con tanta rapidez; necesitaba reflexionar y consultarlo. *Ci voleva pensare, discorrere e conferire*, comentaba Sega al Papa[97]. Y aquel «*voleva pensare, discorrere e conferire*,» era la forma habitual de proceder de Felipe II antes de cualquier decisión, grande o pequeña. Sus dudas rayaban en los límites de la abulia; su incapacidad para hacer un último esfuerzo y tomar una firme y rápida decisión era, sin duda, su principal defecto, pues cuando ya finalmente se decidía, casi siempre era demasiado tarde. En octubre de 1565, Tomás Perenot se lamentaba en una carta a su hermano, el cardenal Granvelles, entonces en Bruselas: «Aquí todo se deja para mañana o pasado mañana. El principal acuerdo que siempre tomamos es el de seguir en la indecisión»[98]. No sabemos si el cardenal no le creyó o si le pareció imposible, pero el caso es que diez años después, consternado, pudo comprobar con sus propios ojos que aquella abúlica tardanza había ido anegándolo todo como una viscosa ola de cieno, que ahora estaba sofocando y causando enormes estragos al Estado. Estremece la lectura de lo que en septiembre de 1584 escribiera desde Madrid a Bruselas a Juan Idiáquez, con qué crudeza y resignación aceptaba y reflejaba el mal hereditario de los Habsburgo españoles: «La forma de proceder aquí me asusta. Estoy cansado de ver siempre lo mismo y mi más íntimo deseo sería poder arrojarlo todo lejos de mí, para no ser yo también culpable de la catástrofe que se avecina y no hundirme con todos en el abismo»[99]. Carlos V necesitaba un

[97] SEGA, fol. 19.
[98] *Papiers d'Etat de Granuelles*, IX, 568.
[99] FORNERON, III, 76. En el momento de escribir esa carta, Granvela (era su nombre español) era una especie de Secretario de Estado y tuvo ocasión de observar al rey y ver su manera de ser, al menos durante cinco años. Ocupó el puesto en lugar de Antonio Pérez a partir de agosto de 1579. Granvela murió en septiembre de 1586.

impulso violento que viniera de fuera, para convertir sus dudas en determinación y después perseguir su fin con ejemplar tenacidad. Del mismo modo, Felipe II, en contrapartida a su eterno negativismo, aplicaba un rigor inflexible a la decisión una vez tomada. Pero el cambio se hacía de modo diferente; independientemente de causas extrínsecas o de impulsos violentos, más bien se debía a un proceso cerebral interno. Esa cabezonería, complemento y compensación de la abulia, en el caso de Felipe II también era una especie de negativismo, como aquel rasgo característico y permanente de la desventurada doña Juana, al menos cuando aún no tenía demasiado perturbadas sus facultades mentales. En su nieto se manifiesta en un ejemplo típico e inconfundible. Cuando después de una primera y violenta actuación de Alba en los Países Bajos, el emperador Maximiliano II interpelara a Felipe aconsejándole que moderase aquello un poco, Felipe II reaccionó fríamente con una respuesta tajante, diciéndole que prefería jugarse no sólo los Países Bajos, sino todos sus territorios, antes que dejarse decir cómo habría de comportarse con sus súbditos[100]. Fue la respuesta verbal al hermano del emperador, porque a Maximiliano se la envió por escrito, añadiendo que no pensaba cambiar su sistema, «aun cuando el mundo se me cayera encima»[101]. Esta rotunda negativa, ¿no parece un lejano eco de aquel continuo «no» de doña Juana la Loca?

Pero en realidad, la porción de buena salud recibida en la sangre habsburga y borgoñona predominó siempre sobre la enferma, tanto en Carlos V como en Felipe II. Si bien es cierto que en ambos se dieron signos, esporádicos pero infalibles, de cierta propensión a la epilepsia[102]. Pero el mal psíquico que los dos heredaran de doña Juana la Loca, siempre estuvo oculto o bien disimulado; la debilidad psíquica estaba bien compensaba por la fuerza física,

---

[100] LOSERTH, 186.

[101] GACHARD, *Correspondence de Philippe II*, II, 15.

[102] Existen relatos, algunos enteramente unívocos, otros bastante dudosos, a este respecto, en PEDRO MARTIR, *Epist*, 633; GACHARD *La bibliotheque nationale a Paris*, II, 66; HENNE, II, 298; BRATLI, *Ann.*, 226. Cfr además, CABANÉS, 148.

vivacidad y resistencia que los dos tenían, al menos en sus florecientes años de juventud. Aquel germen de enfermedad mental no llegó a proliferar nunca, ni siquiera cuando sus cuerpos físicos estaban ya medio consumidos, agotados y minados por la gota; la inquebrantable resistencia de la naturaleza de un cuerpo sano, como el de ambos personajes, impidió su desarrollo a pesar de que, por lo general, los hijos y nietos de matrimonios de consanguinidad pueden nacer condicionados por algunas degeneraciones.

Estas dos semblanzas de Carlos V y Felipe II son por supuesto incompletas. No podía ser de otra manera. Nosotros no nos proponíamos reflejar su entera personalidad. Solamente queríamos poner de relieve los rasgos característicos más relevantes que, por línea directa, ambos habían recibido y heredado de doña Juana la Loca.

IV
LA CATÁSTROFE DEL BIZNIETO

Juana y don Carlos. - Leyenda negra o ficción y realidad. - Matrimonio de consaguinidad y matrimonios de los hijos. - Nacimiento del príncipe y muerte de la madre. - Raquítico y psicópata. - El educando y los educadores. - Falta de talento y pésimos resultados. - El emperador y el nieto. - Fiebre intermitente o paludismo crónico. - La caída de una escalera en Alcalá de Henares pronostica su final. - Su golpe en la cabeza y culto a una reliquia. - Su inesperada curación. - Reanuda su contacto con la familia y la Corte. - El padre y el hijo. - Informes de los embajadores. - La impresión general es de continuos reproches. - Los años de juventud. - Sus rarezas y brutalidades. - Su creciente debilidad mental. - La prueba de su virilidad. - Locuras sin fin. - Una alta traición sin aclarar definitivamente. - Una huida que fracasa. - Un rey prudente. - Acusaciones y proceso. - Un ruego inútil. - Su enamoramiento con su madrastra. - Recrudecimiento del arresto y desencadenamiento de una locura latente. - Los signos externos en Juana y en don Carlos. - Un breve martirio y un final consolador. - Descabellado falseamiento de la historia. - Apertura del féretro 227 años después. - Un testamento engañoso. - El dictamen psiquiátrico.

Apurar, cielos, pretendo,
ya que me tratáis así,
qué delito cometí
contra vosotros naciendo;
aunque si nací, ya entiendo
qué delito he cometido;
bastante causa ha tenido
vuestra justicia y rigor,
pues el delito mayor
del hombre es haber nacido.

(CALDERÓN, *La vida es sueño.*)

1.

Felipe II se casó a la edad de dieciséis años con su
prima, la infanta María de Portugal, y a los once meses de
casados (en julio de 1545) su esposa le daba un hijo a
quien pusieron el nombre de su abuelo: Carlos. Este Carlos es biznieto de doña Juana la Loca. Doña Juana ya hacía
tiempo que no gobernaba, pero aún vivía. De todos modos, era como si no viviera; sus perplejos ojos de enferma
seguramente parpadearon vacilantes a la vista de este
nuevo fruto de su trágica descendencia, pero su espíritu ya
había muerto a los recuerdos sin sentir más pena ni gloria.
Sobre este pequeño Carlos se aglomeraron toda suerte de
fatalidades heredadas de Juana, hasta llegar a una catástrofe final. Este don Carlos, sin tener culpa ninguna, fue
víctima propiciatoria de una doble culpa: los frecuentes

141

matrimonios consanguíneos de sus más directos antepasados y una tara mental transmitida y heredada de su bisabuela. La semblanza de doña Juana la Loca quedaría incompleta si ahora no diéramos cuenta también de esta última y cruel repercusión de una tragedia que radicaba en ella.

2.

En las últimas semanas de enero de 1568, una sensacional noticia corría velozmente de Londres a Viena y de Palermo a Estocolmo, por todas las residencias de Europa. En aquel lejano Madrid donde sobre pilares de oro se alzaba el trono más poderoso no sólo de la cristiandad, sino de todo el mundo, allí donde se dirigían los destinos de un Imperio donde nunca se ponía el sol, en aquel Madrid centro de todo el poder y la política mundial, el rey Felipe había dado orden a sus alguaciles de prender a su único hijo y heredero, de veintitrés años, y encerrarlo entre rejas como si fuera un vulgar delincuente. ¿Qué había sucedido? Sólo había rumores y se hacían conjeturas, especulaciones, eran meras habladurías oídas por la calle. Las testas coronadas, cuyos *billetes* o breves cartas autógrafas daban comienzo con un «Vuestra Señoría...» o un tratamiento similar, ellos tampoco tenían más noticia que los rumores de que el joven príncipe era un sujeto incompetente para heredar la Corona y que, por esa razón y con el fin de evitar que hiciera algún daño, se encontraba cautivo en prisión. El emperador del Sacro Imperio Romano en la nación alemana –por entonces Maximiliano II– hubiera deseado saber algo más y con más pormenores, del tan incomprensible como desconsolador evento. Aquella situación podía acarrear consecuencias de cierto relieve en el ámbito de la política, pues no en balde su esposa –la emperatriz– era hermana de Felipe rey de España, sino que además el príncipe prisionero se convertiría en breve en el prometido y luego esposo de su hija mayor, la agraciada archiduquesa Ana. Así que Maximiliano II decidió enviar a su hermano a la Corte española en misión secreta, para poder conocer la verdad que, al parecer, no se podía saber por vía diplomática. Pero cuando el archiduque apenas llevaba un día de viaje, llegaba una segunda noticia aún más funesta que la primera; el príncipe heredero había muerto inesperadamente, después de cinco meses de cautividad. Desde Italia se empezaron a divulgar informes escritos difundiendo más rumores y las sospechas de un posible envenenamiento. En la Corte de Viena había gran consternación. La pequeña archiduquesa Ana estaba hecha un mar de lágrimas. De Viena a Londres y de Estocolmo a Palermo, todo el mundo meneaba la cabeza con cierta preocupación. Pero aquellas preocupantes noticias llegadas desde la inquieta España no acababan ahí. No sólo la Corte imperial, también la Corte francesa estaba sumida en el llanto y el dolor. En octubre de ese mismo año se recibían noticias de que en Madrid, la joven reina Isabel de Valois, princesa de Francia, había fallecido a los veintitrés años de edad y como su hijastro, inesperadamente. En pocos meses, la esposa y el único hijo varón del rey más poderoso del mundo eran enterrados por una muerte rodeada de misterio. Ahora, un hombre abatido por el dolor, con el pelo encanecido y atormentado por la gota, era viudo por tercera vez y, pasados ya los cuarenta años de edad, único varón representante presente y futuro de un Imperio mundial instaurado por Carlos V. En pocas palabras, ésta sería la historia del, para España, memorable y fatídico año 1568 tal como lo vivieron sus contemporáneos.

Aquel príncipe español hasta entonces desconocido para los burgueses de más allá de los Pirineos, pasó a estar en boca de todo el mundo. El nombre de don Carlos causó sensación en Europa. La Corte de Madrid se hallaba a gran distancia y su ceremonioso hermetismo, su inaccesibilidad por una parte, más su arbitrario secreteo al no querer explicar ni las circunstancias ni los nexos de lo acaecido, sólo dejaban entrever ciertos indicios. Por tanto, nada tiene de extraño que, con lo años, se fuera entretejiendo una red de extravagantes y aventurados entredichos en torno al protagonista de esta tragedia, y que las erinias de la calumnia y las musas de la poesía compitieran afanándose en oscurecer la verdad malévolamente o en adornarla caprichosamente. Hace ya mucho tiempo que aquel esperpento pasó al olvido, y de aquel cenagoso origen de la –así llamada en España– «leyenda negra», nació una maravillosa obra de arte: el *Don Carlos*, de Schiller. Son miles y millares de personas las que admiran y compadecen al idealizado príncipe de la obra maestra alemana, sin tener una idea de la triste figura de su original histórico. Los españoles reprochan a los alemanes que, con este drama, el equívoco a la opinión pública con respecto a don Carlos no acabará nunca, puesto que, gracias a Schiller, se está reproduciendo continuamente. Nosotros, los alemanes sobre todo, además del conmovedor poema deberíamos conocer y hacer honor a la triste verdad, es decir, deberíamos conocer al *Don Carlos* de los escenarios y al don Carlos de la realidad.

3.

El 15 de noviembre de 1543 celebraba sus bodas el príncipe Felipe de España –hijo y heredero del egregio emperador Carlos V– con su prima hermana la infanta María, hija del rey Juan III de Portugal. Este matrimonio es un eslabón más de la larga cadena de casamientos entre parientes cercanos, muy en boga desde hacía varias décadas, entre las casas reales de España y Portugal. Pero de todos esos casamientos, éste era un caso de estrecha coyunda entre miembros consanguíneos; la madre de la novia y el padre del novio eran hermanos, y la madre del novio y el padre de la novia también eran hermanos[103]. El primero y único hijo de esta unión fue don Carlos, fruto inmaduro de un matrimonio de adolescentes, ya que los padres solamente contaban dieciséis años de edad cuando celebraron

---

[103] Juan III de Portugal estaba casado con Catalina, hermana menor del emperador Carlos V, y María, esposa de Felipe II, era hija suya. Y el emperador Carlos V estaba casado con Isabel, hermana de Juan III de Portugal, y Felipe II era su hijo. Pero, además, la madre de Juan III y de Carlos V, María y Juana respectivamente, también eran hermanas e hijas de Isabel y Fernando, los Reyes Católicos. Por consiguiente, Carlos V era primo hermano de Juan III, hermano de su esposa, esposo de su hermana, y suegro de su hija.

su matrimonio. Los médicos de la Corte tuvieron que acudir a los más extraños remedios para acelerar la pubertad y la facultad de concebir en el joven cuerpo de la esposa. Uno de los remedios consistió en practicarle sangrías en las piernas; la infeliz muchacha sufría fuertes desmayos a consecuencia de aquello. Por fin consiguieron el suspirado embarazo y el 8 de julio de 1545, hacia medianoche, María daba a luz a su esperado hijo después de pasar varios días con fuertes dolores de parto. La princesa María falleció sólo cuatro días más tarde, víctima de la debilidad de aquel cuerpo aún demasiado joven y de las malas artes utilizadas por los médicos de la época.

Su tía Juana y otras damas de la corte se hicieron cargo del pequeño, pues además de haber muerto su madre, su abuela también hacía tiempo que había abandonado el mundo de los vivos, y su bisabuela acababa entonces sus días muy enferma y con una desoladora enajenación mental. La privación del pecho materno fue causa principal, sin ninguna duda, de su raquitismo y de la malformación de su cuerpo, así como de la debilidad de sus fuerzas. Sus nodrizas tuvieron bastantes dificultades con él; de niño hirió con insidiosos mordiscos en el pecho a tres de ellas[104]. Al principio pensaban que el rapaz había nacido mudo, ya tenía tres años y aún no había pronunciado palabra y cuando por fin empezó a balbucear lo hacía con tanta dificultad que tuvieron que intervenir y cortarle el frenillo de la lengua. Se lo hizo el barbero de la casa real Ruy Díaz de Quintanilla, que cobró 1.100 reales por la operación.

A la edad de siete años ya se empezaron a observar en él, ocasionalmente, algunos síntomas psicopáticos. En cierta ocasión tuvo un ataque de cólera con uno de sus pajes y dio orden de que lo ahorcaran en su presencia. Como se negaron a obedecer semejante desatino, Carlos trató de imponer su voluntad amenazando no volver a probar bocado; finalmente, cedieron sólo en apariencia a su descabellada pretensión, ahorcando de noche en una improvisada horca un muñeco parecido al paje. Entonces quedó satisfecho el chico. A los siete años perdió don Carlos a su

---

[104] ALBERI, *Relazioni*, serie I, V, 73.

solícita tía Juana, que marchó a Portugal para casarse. La despedida fue muy triste para él y continuamente repetía, *¿que hará ahora el niño solo?* Cuando se refería a sí mismo, tenía la costumbre de hablar en tercera persona y decir *el niño*, una forma de hablar desde luego infantil, pero impropia de un chico de siete años. Además de no tener madre, se había quedado sin tía, sin padre y sin abuela. De hecho, este pobre niño destinado a heredar un gran imperio, nunca tuvo noción de lo que era la casa paterna y tener una familia, no lo tuvo entonces ni durante largo tiempo. Su padre estaba mucho tiempo ausente debido a un largo viaje por Alemania y los Países Bajos, o a un desventurado viaje nupcial a Inglaterra, o incluso por estar en los campos de batalla al norte de Francia. Y su imperial abuelo, por otra parte, no había vuelto a su país desde el nacimiento de su nieto; las controversias de la Reforma de aquel siglo lo mantenían muy ocupado en el norte de Europa. Don Carlos había cumplido ya once años cuando vio por primera y última vez a su abuelo, antes de que éste partiera camino del Monasterio de Yuste en busca de reposo, y tenía catorce ya cumplidos cuando, finalmente y después de una prolongada ausencia, su padre regresara de nuevo a España. Don Carlos creció en la Corte rodeado de caballeros y preceptores, pero sin el cariño ni el apoyo de unos padres. Recibió lecciones de equitación, caza, baile, esgrima, y de todas las reglas de etiqueta propias de cada ceremonia, pero además tuvo que aprender latín, aunque hablara y escribiera con tanta dificultad el español, su lengua materna. Un erudito humanista, Honorato Juan, alumno en Lovaina de Luis Vives, enseñaba los clásicos latinos al príncipe don Carlos, débil mental, podemos suponer con qué éxito. Al cabo de un año, el rey Felipe II escribía al preceptor recomendándole que el príncipe solamente leyera libros de muy fácil lectura, no fuera a alarmarse ante las dificultades y perder entonces interés por el estudio[105]. A este infeliz muchacho tampoco se le ahorraron azotes, prueba evidente de que los necesitaba. Su preceptor García de Toledo escribía al Emperador en estos términos:

---

[105] GACHARD, *Don Carlos*, 11.

«Aunque me tema y respete extremadamente, de nada sirven palabras ni azotes por mucho que éstos duelan»[106]. Y en otra carta, este mismo García informaba que el príncipe era tardo en el estudio y lo hacía contrariado y con desgana, y lo mismo sucedía con el ejercicio físico. Tanto cuando estudiaba como cuando hacía deporte, exigía alguna recompensa antes de dar el primer paso. Con respecto a su tono amarillento de piel, los médicos lo atribuían a un exceso de bilis, pero no le recetaban ningún remedio, pues su estado general dejaba mucho que desear. Eso según García. Pero gracias a nuestro viejo amigo Badoero, el embajador veneciano, también disponemos de otras pruebas e informes remitidos a su gobierno, donde cuenta con todo lujo de detalles lo que se cuchicheaba en la Corte de Bruselas, donde por aquel entonces se encontraba Felipe II. Se decía que el príncipe tenía la cabeza demasiado grande y desproporcionada con el resto de su cuerpo; decían que tenía una desmedida facilidad para la crueldad; contaban que asaba los conejos aún vivos, que le traían los cazadores; que jugando con una tortuga, después de torturarla, la tortuga furiosa le mordió un dedo y entonces el príncipe en un arrebato de cólera la mató de una dentellada en el pescuezo. Cabrera y Salazar[107] también han dejado constancia de que el príncipe parecía gozar de satánico placer estrangulando liebres y viéndolas sufrir. El creciente y patológico amor propio del joven psicópata, empezó a mostrarse en sus años de juventud en una megalómana ambición, que se manifestaba de múltiples maneras. El título de «Príncipe» sólo correspondía de derecho al heredero del trono, cuando recibía y a su vez hacía el juramento de fidelidad de las Cortes. Pero Felipe II, sin decir nada a nadie, le cambió el título de infante por el de príncipe, un 16 de enero de 1556. Utilizó ese título para su hijo por primera vez en una carta escrita desde Bruselas en marzo de ese mismo año. Lógicamente, el desmedido orgullo que a sus once años don Carlos sintiera por haber sido elevado de categoría, es fácilmente comprensible.

---

[106] LAFUENTE, *Historia de España*, XIII, 295.
[107] CABRERA, *Libro*, 5. SALAZAR, *Libro*, 4.

Ahora bien, si ese nombramiento produce sospechas, no menos sorprendente era la advertencia del embajador portugués Almeida, de que nadie a partir de aquel día osara volver a utilizar el título de Infante ni por escrito, ni de palabra[108]. Cuando Carlos V desembarcó en Laredo en septiembre de 1556, pensando permanecer ya para siempre en España, don Carlos volvió a dar muestras de su infantilismo. Atropelladamente escribió de su puño y letra uno de aquellos llamados *billetes*, y dio órdenes a su ayuda de cámara don Pedro Pimentel de que saliera al encuentro del emperador para darle la bienvenida como «mensajero» suyo.

Carlos V no conocía aún a su nieto. Se vieron por primera vez el 15 de octubre de ese mismo año, en Valladolid. El príncipe salió a caballo a la entrada de la ciudad para recibirle, e iba abrigado –hacía mucho frío– por una estola forrada de armiño que le favorecía mucho, según Francisco Osorio informara al rey Felipe II. Ésa es la misma prenda que viste en un retrato de joven, pintado por Sánchez Coello; así que, fácilmente se puede constatar su hermosa apariencia en tan histórico momento. El emperador sólo paró dos semanas en Valladolid. Después no volvió a ver al chico, prueba evidente de que con aquella vez ya tuvo suficiente. Pero de ese breve encuentro del abuelo con su nieto, conocemos alguna anécdota que bien merece la pena reseñar. El emperador Carlos V tenía, para alivio de los dolores de gota que padecía, una pequeña estufa portátil traída de Bruselas, un pequeño utensilio que en España, el país del brasero, aún no se conocía. El príncipe se encaprichó enseguida con la estufa y quiso hacerse con ella inmediatamente. La respuesta fue negativa y prolijamente fundada; esto contrarió enormemente su testaruda porfía, le encolerizó, apretó los puños y dio patadas en el suelo; era expreso deseo suyo tener aquella estufa de inmediato. Es decir, allí se estaban dando tozudez, delirio de grandeza y cólera, al mismo tiempo. El emperador cedió un poco para tranquilizarle y, ante testigos, prometió dejarle la estufa en herencia. En otro momento, el empera-

108 GACHARD, *Don Carlos*, 17.

dor, hablándole de sus campañas en Alemania sacó a colación que en el infausto año 1552 tuvo que huir de Innsbruck, de noche y resguardado por densa niebla, al ver la superioridad del enemigo que se aproximaba. Al príncipe Carlos aquello le contrarió sobremanera: él nunca lo hubiera hecho. El emperador trató de aclarar un poco más lo grave de la situación, primero explicándole con detalle todas las circunstancias y luego con un ejemplo: qué hubiera hecho él si, de pronto, una docena de sus pajes intentara prenderle para conducirle a prisión. Un esfuerzo inútil. Porque el muchacho continuaba impertérrito, aferrado a su idea de que él nunca hubiera huido, ni el emperador debería haberlo hecho. Más adelante, el emperador se desahogaba con su hermana, la reina viuda Leonor, hablándole del príncipe: «No me agradan ni su temperamento ni sus maneras; no sé cómo acabará esto»[109]. ¿Qué más podríamos decir de este príncipe que añadir que, a partir de su encuentro con el emperador y hasta su fallecimiento, el príncipe Carlos afirmaba que Carlos V era su padre y Felipe II su hermano?[110].

La muerte de Carlos V, acaecida el 21 de septiembre de 1558, tuvo malas repercusiones. Con él desaparecía la única persona de respeto a quien el príncipe temiera de veras y cuyo enfado era el único que temía. Con sus tías y sus preceptores, hacía siempre lo que él quería; a su padre sólo lo conocía de referencias, aún seguía en los Países Bajos desde hacía ya mucho tiempo y las cartas que le escribía eran muy frías y llenas de recomendaciones. Cuatro semanas después de la muerte del emperador, Honorato Juan viajaba a Bruselas para comunicar, cautelosa y veladamente al rey que su hijo, el príncipe Carlos, iba de mal en peor. Su Majestad conocerá los hechos más adelante, de labios de su propia hermana, la princesa Juana. Una importante mejoría era de esperar si Su Majestad volviera a casa. Y este feliz acontecimiento, y no sólo para don Carlos, tuvo lugar finalmente el 14 de septiembre de 1559. Ese día el rey Felipe II hacía su entrada en Valladolid,

---

[109] MIGNETI, 155.
[110] RANKE, Don Carlos, 498.

para nunca más volver a dejar España. El príncipe se encontraba entonces en cama con fiebres intermitentes muy altas, un mal que a partir de entonces le acompañaría con bastante frecuencia y virulencia. Por ese mismo motivo, tampoco pudo asistir a la ceremonia de la boda de su padre con Isabel de Valois, el 31 de enero de 1560. También hubo que demorar varias veces la larga y aburrida ceremonia de la jura de las Cortes de Castilla, en reconocimiento a su título, siempre a causa de esas fiebres. Cuando después de mucho tiempo por fin pudo celebrarse, apenas podía mantenerse en pie y el pobre muchacho al lado del atractivo y arrogante Juan de Austria, hijo ilegítimo de Carlos V, tenía un aspecto bastante lastimoso. Tenía la tez amarillenta, consumida por las fiebres y la debilidad, pero incluso en una situación de fragilidad como era aquélla, la cólera le seguía dominando. El Duque de Alba, organizador de todos los actos de la ceremonia, con tantas prisas y obligaciones, olvidó en el momento del homenaje besarle la mano conforme a lo previsto por la etiqueta. Pero cuando quiso reparar su negligencia, el príncipe a la vista de todo el mundo le reprendió en tal modo, que el propio rey próximo a ellos se adelantó a presentar sus excusas al agraviado Alba.

En junio de 1561 se trasladó la Corte definitivamente a Madrid, pero no por eso mejoró el estado de salud de don Carlos. El rey Felipe II decidió entonces enviar al príncipe a Alcalá de Henares, de clima más suave y con una doble intención: por una parte, el heredero de la Corona podría estudiar en su ya famosa Universidad, y por otra, Madrid estaba a pocas millas de allí en caso de necesidad. Le acompañarían como amigos y compañeros de estudios, dos primos de edad parecida a la suya: Don Juan de Austria y Alejandro Farnesio. Un magnífico palacio, mandado construir por los arzobispos toledanos y que había servido de residencia para la familia real en varias ocasiones, les acogió nuevamente y allí fue don Carlos a vivir con su pequeña Corte.

La Historia silencia los resultados de sus estudios en la Universidad, y eso mismo nos permite hacer una lectura de cómo debieron ser. La convivencia con don Carlos no debía de ser cosa fácil ni sencilla; tenía caprichos muy extraños, que había que satisfacer sin la menor dilación. El rey de Portugal, primo suyo, le había obsequiado con un pequeño elefante que al príncipe le gustó mucho y se lo llevó a Alcalá. Pero en Alcalá, había que subírselo a sus habitaciones siempre que él quería, para darle de comer allí o para jugar con él. Es fácil imaginar las dificultades que tendrían cada vez que había que subir al elefante por las escaleras y hacerle cruzar aquellos corredores del viejo palacio. Al joven príncipe también le gustaban mucho las bromas pesadas y de mal gusto. En cierta ocasión, un mercader que acababa de regresar de Perú le mostró una valiosísima perla de más de tres mil escudos; el príncipe pensó asustar y burlarse de aquel buen hombre, se la arrebató de la mano y se la tragó. El comerciante tuvo que esperar tres días de gran zozobra, y hacer toda clase de súplicas, hasta conseguir recuperar la perla que fue devuelta por el conducto natural[111]. También fue en Alcalá donde el príncipe sufriera aquel cruento accidente que bien pudo costarle la vida. El domingo, 19 de abril de 1562, hacia el mediodía, el príncipe pretendía bajar al parque, donde había concertado una cita con la hija del guardián de la puerta, pero resbaló por una empinada y oscura escalera y fue a caer de cabeza contra una puerta que estaba cerrada. Se hirió en la cabeza y los párpados; los médicos le vendaron la cabeza y diligentemente se dispusieron a sangrarle. Siete días después la fiebre había remitido bastante, pero el décimo día, la herida comenzó a supurar pus y la fiebre remontó de nuevo y mucho más alta que antes. Tuvo vómitos y diarreas, la pierna derecha paralizada e inflamación de ojos. Alrededor del enfermo había hasta nueve médicos, pero ninguno de ellos sabía qué se podía hacer. Llegaron al acuerdo de que el paciente no viviría más de tres o cuatro

---

[111] Comparado con lo que dice RANKE, 501: «*En una ocasión que un mercader le ofreció una perla de un valor de 3.000 escudos, se la llevó a la boca e hizo que se la tragaba; el rey declaró que la angustia del mercader le había hecho sus delicias. Después de tres días el príncipe le devolvió su joya*», no se comprende por qué Ranke quiso modificar y suavizar el texto de Gachard con citas de fuentes inequívocas. Sólo podría entenderse interpretando que Ranke, historiador muy contrario (como se sabe) a Felipe II, quisiera justificar la conducta de su hijo presentándola como una simple e inocente anécdota.

horas, de modo que insistieron al rey en que regresara a Madrid para evitarle lo más desagradable y doloroso que aún estaba por llegar. El rey se despidió de su hijo moribundo y partió de noche a su residencia con el corazón transido por la pena; todos sus miembros estaban sacudidos por la fiebre. Dio órdenes muy precisas para la celebración de los funerales. Pero mientras, los médicos en un último intento por salvar la vida del príncipe, decidieron hacerle una trepanación. Afeitaron la cabeza del enfermo, descarnaron la zona herida, la lavaron y luego le abrieron la cabeza; allí a la vista estaba todo limpio sin daño ni lesión alguna. Sólo se percibían dos oscuras gotas de sangre, casi negras, que habían salpicado la sábana. Esto aconteció en la mañana del 9 de mayo.

Al parecer, entretanto a alguien del entorno del príncipe se le había ocurrido que en el convento de franciscanos de la ciudad se conservaban los huesos de un monje, fray Diego, que hacía más de cien años que había muerto en olor de santidad y ahora era venerado por muchos fieles que le pedían favores[112]. Llevaron las reliquias del fraile en procesión solemne desde el convento al palacio, hasta el lecho del enfermo. El príncipe seguía sin conocimiento o, tal vez, sin arrestos para dar señales de vida. Con sumo cuidado le pasaron aquellas reliquias sobre la cabeza herida, mientras los piadosos monjes hacían rogativas al hermano fraile muerto. Hay algunos historiadores, de la antigüedad y también modernos, que se han detenido con cierta sorna en la narración de este comportamiento, para ellos ridículo e inconcebible, tratando de embellecerlo afirmando que pusieron el esqueleto del fraile en el lecho, junto al príncipe moribundo. Actualmente, más de cuatrocientos años después, que cada cual piense lo que quiera y como quiera. Porque es absolutamente cierto que la naturaleza joven de don Carlos superó la crisis aquel mismo día. Después, su estado general fue mejorando paulatinamente. También le aplicaron unos ungüentos de un curandero moro por si servían de algo, pero no le hicieron

---

[112] Fray Diego murió el 12 de noviembre de 1463. Su biografía se encuentra en *Marieta*, libr. XV, fols. 3-18.

nada, ni para bien, ni para mal. Y como aún sufría de dolores secundarios, como por ejemplo en los párpados inflamados, poco a poco le fueron sajando y limpiando todos los puntos infectados, para aliviarle. Sólo le quedó una astilla de hueso roto en la cabeza y, cuatro semanas después de aquel día, el príncipe abandonaba el lecho. A sus diecisiete años sólo pesaba algo más de 76 libras (35 kgs. aproximadamente). Dos días más tarde, su padre el rey Felipe II quedaba gozosamente sorprendido al entrar sin previo aviso en su cámara y encontrarle levantado. En cualquier modo, la precaria salud de don Carlos después de un incidente tan grave quedaba deteriorada para siempre. Un trastorno por pequeño que fuera, de digestión, enfriamiento o cualquier otra cosa, siempre decantaba en aquellas desconocidas fiebres intermitentes. Aquel mal le iba minando fuerzas y, además, ya no pudo librarse de él en el resto de su corta vida.

4.

En junio de 1564, don Carlos dejó definitivamente Alcalá de Henares y se trasladó a vivir en Madrid. Entonces fue cuando empezó a formar parte de la familia real, de la Corte y del gobierno. Y entonces fue también cuando se hizo patente a todos que la convivencia con él era insoportable y el trabajo imposible. Entonces comenzaron los cuatro años de graves desavenencias, que tan rápidamente le condujeran a su terrible y trágico final.

Entre lo que el desdichado príncipe quería y lo que podía hacer, había una gran desproporción. Por una parte su ambición y su espíritu emprendedor eran casi enfermizos, pero por otra, sus continuos achaques físicos y psíquicos le incapacitaban para hacer lo que él más deseaba: gobernar junto a su padre. Don Carlos se sabía destinado a gobernar los Países Bajos y contraer matrimonio con la hija de un emperador, pero sin embargo, cada vez veía ambas cosas más lejanas. Se sentía tratado y manipulado como un menor y, siendo un enfermo como era, creía que forzando las cosas con medios realmente impropios y desafortunados, podría conseguir sus deseos. Su reflexivo y prudente padre, buscaba una alianza entre todos para con paciencia darle un tiempo, pues, en su opinión, así como hay que esperar a que al vino espumoso le llegue la hora de ser servido, con paciencia, indulgencia y buen trato, este necio y salvaje rapaz también se convertirá en un hombre serio y mesurado. Esta trágica contraposición donde ambos hombres creían estar en la razón, cuando ambos estaban en el error, hizo que al loco nunca le llegara el conocimiento de la triste realidad, y al cuerdo le llegara demasiado tarde; esa gran oposición entre estos dos hombres fue el núcleo central del problema de don Carlos. Con el regreso definitivo a Madrid, comenzaba el último período de su corta vida. De ese tiempo, disponemos de una serie de informes acerca de su estado de salud física y psíquica que nos permitirán sacar algunas conclusiones muy valiosas. El veneciano Tiépolo[113] nos cuenta, por ejemplo, que el príncipe don Carlos era de figura poco aparente y rostro desagradable. Su temperamento tendía a la melancolía a consecuencia de un mal de fiebres intermitentes que padecía desde hacía mucho tiempo, y a veces incluso con trastornos psíquicos, aunque éstos más bien pudieran deberse a una herencia de su bisabuela Juana. No parecía sentir gozo ni en los libros ni en el estudio, tampoco en la práctica de ejercicios nobles y caballerescos; más bien sentía placer en hacer toda clase de maldades. No se sabía de nadie por quien sintiera algún afecto, sin embargo era público y notorio que sentía odio por muchos. Era muy testarudo en sus opiniones y no se dejaba dar lecciones por nadie, aunque su conocimiento del mundo fuera tan escaso. Y el sucesor de Tiépolo, Giovanni Soranzo[114], a esos informes añadía lo que sigue. El príncipe no respetaba a nadie, ni a su padre.

Felipe II estaba al corriente de todo, pero siempre que era posible guardaba silencio, porque si intervenía, el príncipe sufría unos accesos de cólera que después desembocaban en fiebres altas que le obligaban a permanecer en el lecho. Los que peor lo pasaban eran, por supuesto, los mi-

---

[113] ALBERI, *Relazioni*, Serie I, V, 72.
[114] *Ibidem*, 519.

nistros y altos dignatarios de la Corte. Éstos solían huir de él como podían para evitar recibir órdenes suyas que luego no podían cumplir sin el conocimiento y aprobación de su padre, porque cuando el príncipe veía que no satisfacían sus caprichos, les perseguía por el palacio con los más viles y groseros improperios. El presupuesto del príncipe era de 40.000 escudos anuales, pero después de tanta compra inútil sólo le quedaban sus deudas que ascendían a más de 60.000. Era muy desordenado y desmesurado en las comidas y, consecuentemente, la mayor parte del tiempo estaba enfermo. El embajador imperial Adam von Dietrichstein (un hombre excelente, de buen corazón y rico de espíritu, un auténtico austríaco) puso especial cuidado a la hora de hacer su informe, pues no en vano era don Carlos el prometido de la hija de su soberano y todo lo referente al futuro marido y yerno era leído y esperado con interés y gran curiosidad en la Corte de Viena. Según Dietrichstein, el príncipe era de cabello castaño, ancha frente, ojos grises, barbilla algo grande y pálido de tez. Era estrecho de hombros, con un hombro más alto que otro, y con un bulto en el pecho a la altura del estómago. La pierna izquierda visiblemente más larga que la derecha, su cojera era muy notable y, además, tenía cierta dificultad de movimiento en el lado derecho del cuerpo y era extremadamente delgado de muslos. (La protuberancia del pecho, la desigualdad en las piernas y la delgadez de muslos son signos característicos de raquitismo.) Su tono de voz era débil y atiplada. Se expresaba con bastante torpeza, sobre todo al empezar a hablar y eso le obligaba *a gesticular.* Tampoco pronunciaba bien ni la *r* ni la *l,* así que uno podía darse por satisfecho cuando a duras penas conseguía entenderle algo[115]. En su aspecto exterior iba todo lo sucio y desmañado que se pueda ir. Era inmoderado en el comer, se empapuzaba de cantidades de comida suficientes para satisfacer a dos o tres personas. Bebía solamente agua, que tenía que ser de los deshielos de nieve y, aun así, nunca le parecía bastante fría. Al bueno de Dietrichstein le preocupaban

---

[115] SORANZO también coincide a este respecto: *Rispose cosi basso et intricato che non potessimo ben intender le sue parole.* RANKE, 503.

los rumores sobre una presunta impotencia del futuro esposo. La gente generalmente le llamaba «*el capón*» y aseguraba que a sus diecinueve años, aún no había poseído a ninguna mujer. A Dietrichstein le parecía muy sospechosa su voz de castrado: «*Si mihi judicium esset faciendum, vox tantum mihi aliquam suspicionem praeberet*». Pero Olivares, su médico de cabecera, tranquilizó al austríaco confesándole en secreto profesional, que en su primer intento el príncipe fue tan desafortunado que lo consideró un castigo de Dios y se prometió a sí mismo no repetir la experiencia hasta haber recibido la fuerza y protección de la gracia del sacramento del matrimonio. Así que Dietrichstein envió, el 4 de julio de 1564, un retrato al óleo de don Carlos, con las siguientes advertencias: el príncipe tenía la boca siempre medio abierta, y no tenía la cara tan llena, ni los ojos tan abiertos como se los había pintado el pintor.

Vamos a hacer ahora una breve descripción, que por cierto resulta bastante deplorable. Don Carlos era pequeño de cuerpo, contrahecho, tullido, tartamudo, y padecía de fiebres crónicas, bulimia y de una sed propia de los diabéticos; era de carácter violento, colérico, insoportable, caprichoso, tenía inteligencia de niño y ambiciones de loco, poca virilidad física y espiritual y, para acabar, la locura de su bisabuela Juana latente en su cerebro, a la espera de un estímulo emocional suficientemente fuerte para poder salir a la luz del día. Así era esta infeliz criatura cuando ya estaba próximo el momento de tener que hacer frente a su misión de heredero del trono más poderoso de Europa. Un asiento hecho en la contabilidad del rey, con fecha de 15 de octubre de 1566, especifica que un tal Damián Martínez, padre de un niño apaleado por orden del príncipe, recibe una indemnización por la cantidad de cien reales; desde luego, esto da mucho que pensar[116]. También es muy significativo el hecho de que este depravado mandria, diera satisfacción a sus sádicos instintos incluso con animales. El si-

---

[116] *Colección de documentos inéditos*, XXVII, 101. Aquí hay una errata de imprenta que dice *pagadas* en vez de *pegadas*. Pero en el documento original de Simancas, dice claramente *pegadas*. Cfr GACHARD, *Don Carlos*, 296. Sin embargo, V. BIBL. (*El heredero de la Corona*, 57), incurre de nuevo en esa errata sin corregir, y además la utiliza como un argumento de peso a favor de don Carlos.

guiente ejemplo podría parecernos demasiado exagerado para ser creído, si no fuera porque disponemos de una carta privada dirigida al príncipe que lo confirma[117]. Un día, don Carlos quiso que le encerraran en sus caballerizas solo durante varias horas; una vez allí, arremetió e hirió a más de veinte caballos de montar y de tiro a hachazos y picotazos hasta dejarlos malheridos, sangrando y sin un lugar sano en el cuerpo. Y por otra parte sabemos que también en otra ocasión, en la primavera de 1567, trató de arrojar por la ventana a uno de sus lacayos por un insignificante descuido, y como el pobre infeliz se atrevió a defenderse, fue expulsado de su presencia con violencia y con una sarta de imprecaciones y amenazas.

En otra ocasión, una noche que don Carlos salió a pasear por las calles de la capital, fue a parar a un barrio donde se vivía una costumbre típica en todas las ciudades por aquel tiempo. Aprovechando la oscuridad de la noche, por la ventana se echaban a la calle las aguas sucias de todo el día −aguas de fregar, de lavatorios, orinas y otras parecidas−, advirtiendo con un grito: ¡Agua va! Pues bien, quiso la casualidad que el príncipe no oyera o desoyera la advertencia. A otros muchos contemporáneos suyos también les solía suceder muchas veces. Pero nuestro príncipe, como buen psicópata, sufrió un fuerte acceso de cólera y, no pudiendo resistir su sed de venganza, llamó a la guardia de palacio y dio orden de prender fuego y quemar la vivienda con sus habitantes. Después reanudó su paseo. Al día siguiente le informaron que sus órdenes no se habían podido cumplir, porque en el momento en el que la guardia iba a proceder, en la casa entró un sacerdote con el sacramento de la extremaunción para un enfermo moribundo. El príncipe dio crédito a aquella piadosa mentira y se tranquilizó. Otra anécdota también de esa época es la siguiente historia. En cierta ocasión, el joven príncipe abofeteó, al parecer sin causa justificada, a su gentilhombre de cámara, don Alonso de Córdoba. «Dio, sin causa alguna, una bofetada a uno de sus ayudas de cámara», relataba lacónicamente el siempre amable Dietrichstein. Al leer esto, ¿cómo

---

[117] Publicada en *El bibliotecario y el trovador español*, II (Madrid, 1841), 21.

no recordar a su bisabuela Juana arrojando a sus damas todo lo que hallaba a su alcance, hasta el punto de que más de una vez ellas tuvieran que huir apresuradamente? En abril de 1567, el Duque de Alba fue a Aranjuez a despedirse de don Carlos antes de su expedición a los Países Bajos. El príncipe también aquí se dejó llevar de un nuevo e incomprensible acto de brutalidad. Acusó al duque de haberle suplantado e impedir que le enviaran a él a Bruselas y, aunque los demás trataran de tranquilizarle, su cólera fue en aumento hasta el punto de que en un momento de descuido se abalanzó sobre el duque con el puñal en la mano. Al hercúleo Alba le resultó muy fácil sujetar las manos a aquel enclenque muchacho y esperar a que alguien de la antecámara entrara para sacarle de allí y apaciguarle con buenas palabras. Pero el escándalo fue mayúsculo. Corrió de boca en boca, de casa en casa, de palacio en palacio y de Corte en Corte, los respectivos embajadores se encargaron de ello. La falta de principios morales del príncipe también quedó manifiesta en un bochornoso caso de escuchas detrás de la puerta. En cierta ocasión estaba el rey despachando en su gabinete de trabajo con sus consejeros. Don Carlos, atormentado por la curiosidad, se hallaba fuera agachado con el oído pegado al ojo de la cerradura, y en aquella postura le sorprendió su gentilhombre de cámara Diego de Acuña. Acuña le reprochó con suavidad su actitud y le censuró su acción, dado que tanto gente importante como sencilla de palacio, podría igualmente haberle encontrado en tan vergonzosa ocupación. Como respuesta, don Carlos le propinó un fuerte puñetazo y muy airado continuó escuchando y profiriendo insultos. Don Diego se disgustó mucho y se llegó hasta el rey para rogarle que le relevara inmediatamente de aquel cargo. Entonces el rey tranquilizó al ofendido noble relevándole del cargo y tomándole a su servicio personal[118]. Sobre la perversión moral y las malas inclinaciones de este adolescente, sólo Büdinger (pp.137 y 139) ha señalado algunos indicios, no muy concretos. A este respecto,

---

[118] GACHARD, *Don Carlos*, 244. Información de Alonso de Laloo y Leonardo de Nobili.

ahí se dice que, ya antes de su estancia en Alcalá de Henares, don Carlos solía encerrarse a solas con su gentilhombre de cámara, Gelves. Pero nada se sabe de lo que allí pasaba; desde luego, no parece probable que se encerraran sólo para degustar los exquisitos bocados que Gelves solía llevarle; el caso es que el rey acabó por despedir al gentilhombre. *N'é stato cacciato*, decía el veneciano Tiépolo en uno de sus informes. En efecto, los débiles mentales tienen marcada tendencia a las anomalías sexuales y además se entregan a ellas sin el menor reparo o escrúpulo; una ojeada a las historias clínicas en los tratados de psiquiatría es más que suficiente para obtener una buena información sobre esta cuestión. Pero en lo que se refiere a don Carlos, carecemos de puntos de apoyo y de buena información como para abundar en ese aspecto.

Felipe II, infatigablemente y con heroica paciencia, procuraba zanjar todas las diferencias, reprimir al incontrolado loco, e incluso reconducirle al bien y a la razón. Para animarle a ello, le aumentó la asignación anual de 40.000 a 100.000 escudos y le prometió que, si daba muestras de querer corregirse, le llevaría con él a los Países Bajos y adelantarían su boda con la archiduquesa de Austria. Más aún, le otorgó la presidencia en el Consejo de Estado para que también tomara parte en los asuntos de gobierno. Fue todo en vano. En el Consejo de Estado, el príncipe sólo producía enorme confusión y desconcierto, dificultando la buena marcha de las cosas, y además, malgastó el erario público sin ton ni son como un auténtico orate. El embajador veneciano Cavalli obtuvo noticia de todo ello de labios del propio confesor del rey. El rey Felipe II recordaba con nostalgia la poca edad y la seriedad con que, guiado por su padre el inolvidable Emperador, él había sido iniciado en el arte de gobernar; ahora, en cambio, se veía obligado a privar a su incapacitado hijo aquel honroso cargo que le había otorgado. Pero, la indiferencia con la que reaccionó su hijo, alivió el dolor del soberano en aquel delicado trance. Por otra parte, eso mismo hizo también que las desavenencias entre el padre e el hijo aumentaran aún más. El príncipe no cesaba de dar rienda suelta a la rabia que sentía hacia el rey, y se desahogaba descargando sus furias

159

sobre los funcionarios y servidores de su padre, siempre empleando con ellos todo tipo de amenazas y malos tratos[119].

A mediados del año 1567 tuvo lugar la famosa aventura que puso a prueba su virilidad. Don Carlos ya había cumplido veintidós años y, tanto secreta como públicamente, se decía que era impotente. Para acallar tales rumores, se solicitó ayuda a tres médicos. Por su barbero, Ruy Díaz de Quintanilla, don Carlos se enteró de los nombres de tres galenos famosos por su habilidad en esas artes. Después de celebrar consulta, los tres coincidieron en recetarle un brebaje, que el boticario de la Corte preparó para que se lo bebiera. Y la prueba, según informara el propio don Carlos posteriormente, se realizó sin que, a pesar del brebaje, diera el resultado esperado por su compañera. Los médicos cobraron 1.000 ducados cada uno por su intervención, el barbero y el boticario 600 ducados cada uno, y la señorita recibió 12.000 ducados y además fue obsequiada con una casa para ella y su madre. Los embajadores de todas las potencias europeas informaron con toda premura a sus respectivas Cortes, y por sus informaciones también sabemos que este desagradable asunto fue la comidilla de todo el mundo en Madrid, durante varios meses. Su arrogante y severo padre, Felipe II debió de sufrir mucho al tener conocimiento de aquel episodio y del desprestigio que suponía, no sólo en España, sino en toda Europa. Dietrichstein lo relataba con mucho detalle porque lo sabía de primera mano; el propio príncipe se lo había contado rogándole que, muy discretamente, se lo hiciera saber al emperador. Unas semanas más tarde, el embajador florentino supo que había habido nuevos intentos, pero siempre fallidos.

A esto, poco queda ya por añadir. Solamente que don Carlos seguía acumulando culpas y errores, y cometiendo toda clase de disparates uno tras otro y cada uno más grave que el anterior[120]; no daba señales de estar capacitado para

---

[119] *In ogni pocca d'occasione da loro e pugni e minaccia di pugnalardi*, según un informe del embajador florentino, el 24 de julio de 1567. En GACHARD, *Don Carlos*, 232.

[120] CABRERA (I, 557) relata una larga enumeración de aquellos disparates. Para nuestro propósito, baste aquí citar uno de ellos. Don Carlos pidió al come-

realizar una sola cosa sensata y razonablemente. Así que el lector, dotado de sentido común, se estará preguntando cómo era posible que no le hubieran encerrado antes.

5.

En septiembre de 1567, el rey Felipe II por diversas causas decidió aplazar su proyectado y bien preparado viaje a los Países Bajos hasta la siguiente primavera. Don Carlos, que no entendía la política de su padre, vio en aquel retraso y en su también aplazada boda con la archiduquesa austríaca, un desaire para él, y todo ello hizo que la aversión que sentía por padre se incrementara de forma notable. Decidió huir a Italia y desde allí continuar a la Corte imperial o a Flandes. Con este propósito mantuvo secretos conciliábulos con el traidor Montigny (cabecilla de la sublevación neerlandesa, después castigado por Felipe II), que en aquel entonces se encontraba en Madrid. Pero Catalina de Médicis fue informada a tiempo por el Almirante Coligny: Montigny estaba conspirando algo con el joven príncipe y en la Corte se temían graves acontecimientos. Catalina se lo comunicó enseguida al embajador español[121] y cuando el asombrado Alba le preguntó si no creía más conveniente decírselo directamente a su yerno el rey Felipe II, Catalina con una triste sonrisa le respondió: «¿Y cómo habría de creer que tal cosa fuera cierta?». También las opiniones de muchos historiadores de probada confianza son a veces recibidas con escepticismo. Cabrera ase-

---

diante Cisneros –director de una compañía de cómicos y maestro en su oficio– que dieran una representación privada en palacio. Pero Cisneros no pudo complacer sus deseos porque, a la vista de los muchos desatinos cometidos por su compañía de comediantes, fue expulsado de la capital por orden del cardenal Espinosa, entonces presidente del Consejo de Castilla. El príncipe se encontró con el cardenal en palacio, y cuando le vio, se abalanzó sobre él con un puñal en la mano e insultándole le sacudía por el brazo amenazándole al mismo tiempo con darle muerte. Entonces el cardenal Espinosa, hombre entrado en años y muy venerado por todos, se arrojó a sus pies implorando su perdón. La intervención de algunos caballeros de la Corte, salvó la vida del venerable príncipe de la Iglesia amenazado.

[121] El relato de esta conversación con el Duque de Alba, se encuentra en GACHARD, *Don Carlos*, 490 A. 1.

gura que don Carlos estaba protegido por Egmont, Orange, Horn, Berghes y Montigny para su proyectada fuga, y que los dos últimos también le ofrecieron incluso dinero para poder realizar su viaje[122]. Strada añade que, además, el príncipe prometió a Montigny que iría a Bélgica para ponerse al frente de los sublevados. Tal vez fuera cierto que en los papeles incautados a don Carlos no existieran indicios de alta traición. Lo cierto es que lo único que ha quedado definitivamente confirmado es que el rey Felipe II, para sustraerlos a la curiosidad de tiempos venideros, los destruyó minuciosamente y explícitamente explicó que, ni de palabra ni por escrito, se habían hallado rastros de conjura o herejía ni de los demás infundios que se habían dicho. Lo que nosotros queremos subrayar ahora es que no parece del todo inverosímil que el príncipe mantuviera correspondencia ilegal con los Países Bajos y planeara alguna traición, pero hasta ahora sigue aún por demostrar. Ni tampoco parece desacertado pensar que los flamencos quisieran utilizarle sin que él lo advirtiera, como única vía para poder llevar a cabo sus desalmados planes. En cualquier modo, la cuestión de una posible traición es mucho menos importante de lo que pueda parecer, porque con o sin traición, la catástrofe era ya inevitable. Tenía que ocurrir lo que ocurrió.

Don Carlos estaba, pues, firmemente decidido a huir. Para su viaje necesitaba unos 600.000 ducados según sus cálculos, y envió a dos de sus más leales servidores con *billetes* dirigidos a comerciantes y banqueros de Toledo, Medina, Valladolid y Burgos, con el fin de recabar de ellos préstamos, hasta obtener la cantidad requerida. Pero los resultados de aquella gestión fueron bastante mezquinos; el príncipe había dejado de tener crédito hacía ya tiempo y, en aquel ámbito de prestamistas, sus deudas eran muy conocidas de todos. Además de esta dificultad económica, don Carlos empezó también a temer por su seguridad personal. Siempre tenía a mano la pistola cargada; relevó a sus

---

[122] Cabrera da fin a todo lo referente a don Carlos con las siguientes palabras: «He escrito lo que, por mi entrada a las reales dependencias, he visto y oído».

ayudas de cámara de la obligación de pasar la noche con él, para quedarse solo; y ordenó a un mecánico francés, un tal Louis de Foix, que le hiciera un cerrojo para la puerta que pudiera atrancarse desde la cama. La contabilidad de su tesorería da cuenta de este capricho, diríamos, quijotesco. Pero a pesar de estas medidas seguía viendo enemigos y posibilidades de ser atacado por doquier, de modo que no contento con la tranca, también encargó a aquel mismo mecánico una especie de libro muy pesado, como un tomo grueso, encuadernado de cuero pero por dentro de hierro, para en caso de verse sorprendido por el enemigo, poder arrojárselo a la cabeza del agresor. El 20 de diciembre de 1567 el rey se fue a El Escorial para pasar allí los días de fiesta en religioso recogimiento, como era su costumbre; su intención era regresar a Madrid el día de Reyes. Esas dos semanas le parecieron a don Carlos las más indicadas para llevar a cabo su proyectada huida, y la preparó tan disparatadamente como si su autor hubiera sido un chico de escuela. Empezó por sentarse a dictar una carta tras otra a su secretario. Escribió a varios miembros de la alta nobleza rogándoles le acompañaran en aquel viaje; había pensado fugarse acompañado de un numeroso séquito. A continuación dirigió cartas al rey, al Papa, al emperador, y a todos los virreyes, regentes y alcaldes de las ciudades más importantes de España, éstas sólo para ser enviadas después de su marcha. En dichas misivas justificaba su conducta explicando las razones que le obligaban a salir de su país en busca de la salud que tanto necesitaba y de los derechos que aquí se le debían pero no se le daban. Finalmente le pareció también oportuno confiar su plan a don Juan de Austria, hijo bastardo de Carlos V y por tanto tío suyo, pero de su misma edad y antiguo compañero de juegos y estudios, e invitarle a que le acompañara. Suponemos el entusiasmo que puso al anunciarle su plan, pues don Juan fue a verse a solas con él, dos días antes de Navidad. Don Juan de Austria hizo cuanto pudo por disuadirle de aquella locura que, tanto si salía bien como si no, estaba irremediablemente abocada al fracaso; pero no consiguió nada. Juan de Austria le pidió veinticuatro horas al menos para reflexionar antes de darle su parecer. Pero en vez de reflexionar fue al galope hasta El Escorial para informar al rey.

En aquellos aciagos días, también le negaron la absolución. El 27 de diciembre don Carlos se dirigió al convento de San Jerónimo para hacer el jubileo anunciado por el Papa y lucrar las indulgencias después de la recepción de los sacramentos. En la confesión dijo, entre otras cosas, sentir odio mortal y sed de venganza hacia una determinada persona. El religioso, como es natural, se negó a darle la absolución. Ante su negativa, el príncipe hizo llamar a varios eruditos –teólogos de diversas órdenes religiosas– para que se reunieran y dilucidaran su caso. Discutió acaloradamente con ellos durante largo tiempo, sin lograr conmoverles y que, sin rectificar su actitud, le impartieran la absolución. Y tampoco consiguió que, para no dar pábulo a las habladurías, le dieran a comulgar una hostia sin consagrar sin que nadie más lo supiera. Su propuesta fue rechazada de inmediato por unanimidad. Hasta que por fin los frailes lograron enterarse sin grandes esfuerzos de lo que ellos necesitaban saber. El padre prior de Atocha se alejó un poco con aquel empedernido y obstinado pecador y, hablándole con suavidad y buenos modos, le preguntó a qué categoría social pertenecía el personaje mortalmente odiado por él; tener conocimiento de ese dato podría ser una ayuda para solucionar su caso. El príncipe dudó un instante, pero confesó tratarse de su propio padre. Esta historia acabó como tenía que acabar. El príncipe regresó a palacio sin recibir el sacramento ni ganar las indulgencias, y los frailes enviaron un correo urgente y secreto al rey, su padre, informándole de lo sucedido.

Como bien sabemos, Felipe II nunca había sido un hombre de rápidas decisiones y en este caso tampoco lo fue. El rey volvió a Madrid después de haber recibido un recado urgente, enviado por Raimundo von Taxis, donde le informaba que el príncipe don Carlos había dado orden de que le preparasen caballos de repuesto. El sábado 17 de enero de 1568, el rey hizo su entrada en la capital. Aquel mismo día, considerando su plan ya a punto de fracasar, el joven príncipe comunicó a don Juan de Austria que la fuga no podía dilatarse por más tiempo y era preciso salir y darse a la fuga al instante. Don Juan se encontró en un apuro y le suplicó que le diera un día más para prepararse.

A esto don Carlos perdió ya los estribos y se enfureció, llamándole traidor y haciendo ademán de dispararle su pistola, pero don Juan de Austria reaccionó con agilidad y, quitándole el arma de la mano, se apresuró a informar al rey del estado de cosas. Entonces, el rey Felipe II consideró que no podía diferir un solo día más el gravísimo paso que, después de largamente meditado, había decidido dar. Era el domingo 18 de enero de 1568; ése fue el día de autos. El rey dio órdenes de desactivar, secreta y silenciosamente, el cerrojo de la puerta en la habitación del príncipe. Hacia la medianoche fueron a informarle que su hijo dormía profundamente. Entonces el rey, acompañado de Ruy Gómez de Silva, el duque de Feria, el prior don Antonio de Toledo y don Luis Quijada, se hizo guiar por dos pajes con antorchas encendidas por aquellos largos y lúgubres corredores de palacio, hasta la habitación del príncipe. Cuando entraron estaba dormido, pero vestido y armado de yelmo, cota de malla y espada de combate. Antes de despertarle pudieron sacarle la espada y quitarle de debajo de la almohada la pistola y su famoso volumen de hierro. Mientras los ayudas de cámara atrancaban las ventanas, el duque de Feria recogió por orden del rey todos los papeles esparcidos por la mesa escritorio. Esos papeles fueron luego examinados y contenían dos listas encabezadas por «Mis amigos» y «Mis enemigos». El primer nombre de esta última era el rey, su padre. El príncipe despertó a los primeros martillazos dados en las ventanas y de un brinco saltó de la cama preguntando, muy excitado, qué querían de él. Su padre, con pasmosa tranquilidad y en muy pocas palabras, le respondió que estaba preso en aquella estancia, de la que ya no podría volver a salir. Al oír esto, el joven príncipe muy asustado trató de defenderse; pero sus armas habían desaparecido. Entonces comenzó a gesticular frenéticamente hasta el punto de llegar a intentar arrojarse al fuego de la chimenea, pero el prior se encontraba cerca, se interpuso en su camino y, cerrándole el paso, se lo impidió. Comenzó entonces a golpearse furiosamente la cabeza con un pesado candelabro, pero diez o doce manos al mismo tiempo sujetaron las suyas. Comprobando su imposibilidad de hacer nada, el pobre infeliz se arrojó a los pies del rey llorando y suplicando antes la muerte que la afrenta de verse hecho prisionero. Felipe II, con una tristeza infinita en el alma, pero sobreponiéndose a sus sentimientos, serenamente le respondió: «Sosegaos, príncipe, y volved a Vuestro lecho. Lo que ahora está sucediendo es sólo por Vuestro bien». El príncipe, sollozando convulsivamente, se arrojó al lecho y continuó vociferando: «No soy un enfermo, no estoy loco, sólo desesperado. ¡Tened piedad y matadme, pero no me dejéis cautivo!». Mientras esta terrible escena continuaba[123], el rey salía pausadamente de aquellos aposentos y, siempre alumbrado por antorchas, sumido en un profundo y respetuoso silencio, regresó de nuevo a sus aposentos.

A partir de aquel momento, don Carlos nunca volvió a quedarse solo. Junto a él formaban guardia permanente Ruy Gómez de Silva, los duques de Feria y de Lerma, el prior don Antonio de Toledo, don Juan de Velasco y don Luis Quijada. Permanecían allí, turnándose de dos en dos durante seis horas seguidas, con el duque de Lerma de máximo responsable. Al príncipe le servían las viandas ya troceadas y preparadas para llevárselas a la boca, con el fin de que nunca más volviera a tener a mano objetos punzantes ni cortantes. La primera vez que don Carlos viera la comida así servida, rompió a llorar desesperadamente y acabó mordiéndose los dedos de las manos para desfogar su rabia. La primera parte de esta reacción es propia de una mente sana, pero la segunda y luego las dos juntas, son una manifestación evidente de deficiencia mental. Con él sólo había quedado un ayuda de cámara para ayudarle en las funciones necesarias para su higiene y limpieza; éste siempre estaba estrechamente vigilado y no podía dirigir la palabra al príncipe. Aparte de las dos personas que hacían la guardia, su ayuda de cámara, los médicos y el confesor,

---

[123] Un criado italiano de Ruy Gómez fue tomando nota de todo cuanto acontecía en un informe escrito que aún se conserva. Actualmente se encuentra en Simancas (Estado, leg. 2018, hoj.195). Y otro informe procedente de un lacayo del príncipe, también puede leerse en el capítulo sobre el príncipe don Carlos, de Llorente.

nadie más estaba autorizado para ver al príncipe. Ni siquiera los ocho hombres, guardias personales, que el rey había ordenado hicieran guardia en la antecámara. Ni siquiera la reina.

6.

Consciente de que un irrelevante secreteo –un acontecimiento cualquiera– sabe siempre abrirse las puertas de par en par en toda Europa, sabedor el rey Felipe II de que los más absurdos cuentos y chismorreos fácilmente se abren camino a los cuatro vientos, decidió enviar un breve comunicado escrito, dando cuenta de lo acaecido y justificando sus razones, no sólo ante los magistrados, jerarquías de la Iglesia y gobernadores civiles y militares de las grandes ciudades españolas, quiso también informar al Papa, a las Cortes de Viena, París y Lisboa, y a todos sus allegados. Sus comunicados eran tan breves e inequívocos en lo general, como imprecisos y recatados en lo singular, pero todos ellos confirmaban que su conciencia y sus deberes de soberano eran antes que la libertad de su hijo el príncipe Carlos. Los motivos que le llevaron a tomar esa decisión eran de tal naturaleza que no cabía esperar mejoría y, por el bien de su pueblo, se había visto impelido a seguir el dictado de su conciencia y no el de su corazón. Los detalles que el rey, seguramente por discreción, silenciaba, eran conocidos del embajador francés por medio de su amigo y confidente Ruy Gómez de Silva, y lo que después, el embajador relataba en su informe, era mucho más preciso que el contenido de los comunicados del rey. El embajador decía:

«Desde hacía más de tres años, el rey tenía ya el convencimiento de que el príncipe estaba mucho peor de salud mental que de salud física, y de que su razón nunca regía ordenadamente, lo cual se confirmaba una y otra vez con su irregular modo de proceder. El rey ha vivido durante años con la esperanza de que el tiempo devolvería la razón y la cordura a su hijo; sin embargo, ha sucedido lo contrario, con el tiempo ha ido de peor en peor. El rey ya ha perdido toda esperanza de que el príncipe llegue a ser hombre juicioso y algún día pueda estar capacitado para sucederle en sus Estados. Así pues, piensa que si por algún motivo llegara a ser nombrado sucesor de la Corona, sería lo mismo que decretar la ruina de sus pueblos y de sus súbditos. Teniendo esto en cuenta y tras largas reflexiones y consideraciones, el rey después de una encomiable lucha interior y con infinito dolor, ha decidido seguir otro camino. Su decisión ha sido poner a salvo al príncipe en un espacioso y cómodo lugar de un torreón fortificado de su palacio de Madrid, donde siempre será tratado y considerado como corresponde a su rango de príncipe de casa real, pero al mismo tiempo, siempre estará estrechamente vigilado para que ya no pueda seguir causando ningún mal, ni tampoco huir, cual era su propósito»[124].

Dicho en otras palabras, el rey Felipe II había dado a conocer al mundo entero lisa y llanamente, la deficiencia mental incurable de su hijo y sucesor al trono, y que, para evitar un mal mayor a su pueblo, había resuelto negarle su derecho a la sucesión y mantenerle recluido bajo custodia durante el resto de su vida.

Pensemos ahora un poco más despacio en este hecho. Este rey tantas veces denostado, salpicado de lodo por mezquinos charlatanes e injustamente calificado por distintas generaciones de sórdidos pseudoliteratos ora de asesino, ora de incestuoso, psicópata y falsario; este rey prudente y pletórico de sana cordura había reconocido y declarado algo que –o por querer saber más que nadie o por ignorancia– muchos han debatido, desmentido y trocado en lo contrario, durante siglos. Este rey dio a conocer al mundo en su día, una realidad tal como era. Si ahora en nuestro siglo XX, cualquier investigación histórica seria o reivindicando seriedad (véase Rachfahl y Bibl), intentara verlo bajo otro matiz o darle otra interpretación, tendría mucho trabajo para conseguirlo. El sentido de la justicia de este monarca era inquebrantable y el soberano puso esmerado y un casi pedante empeño, en llevar a buen término el dictado de su conciencia, sin tener en cuenta sus sentimientos

---

124 FOURQUEVAUX, Dépêches, I, 321.

personales. Tuvo que declarar la incapacidad del príncipe para sucederle en el trono, pero no quiso hacerlo como un acto de su absoluta autoridad, sino por medio de un proceso judicial legal. Quiso evitar toda apariencia o posible sospecha de arbitrariedad. Una investigación debería comprobar, con carácter oficial, la debilidad mental del príncipe y su trascendencia[125].

La Comisión de Justicia nombrada por el rey para esos efectos, estuvo compuesta por los siguientes miembros: el cardenal Espinosa, inquisidor general y presidente del Consejo de Castilla, el mayordomo mayor Ruy Gómez de Silva, el licenciado en derecho don Diego Bribiesca Muñatones, y el secretario Pedro del Hoyo como actuario. Varios testigos fueron interrogados sobre ciertos antecedentes del procesado, en presencia del rey en algunos casos, y todo cuanto allí se dijo quedó escrito en acta. Pero mientras se procedía al proceso, el joven príncipe murió y continuarlo no tenía ya sentido. Las actas escritas se guardaron en un cofre bajo llave que se depositó en el archivo nacional de Simancas[126]. El secretario don Cristóbal Mora fue el encargado de vigilar su traslado hasta el archivo. Durante varios siglos, ese «cofre verde de Simancas» aparecía y desaparecía en la Historia de la literatura europea, hasta que un día en 1808, un general francés muy curioso, de las fuerzas napoleónicas de ocupación, buscó el cofre y lo mandó abrir; entonces se vio que el contenido del cofre ya no era el mismo desde hacía mucho tiempo..., por razones y conductos que para nosotros permanecerán siempre ocultos.

El Papa Pío V, el emperador y su esposa la emperatriz, los reyes de Portugal y varios príncipes de la Iglesia en España, dirigieron sendas cartas y misivas a Felipe II, rogándole clemencia para aquel lamentable asunto; el rey dio orden de que constara en acta haber recibido esas cartas, pero no por eso les dio respuesta. Su esposa, Isabel de Valois, y su hermana la princesa doña Juana, también le pidieron autorización para visitar al desdichado en su cauti-

---

[125] PORREÑO, Bl. 78.
[126] A algunos les parece insólito procesar a un enfermo mental, y se reservan, consciente o tendenciosamente, todo lo referente a estos planes e intenciones del rey Felipe II.

verio. Pero se hizo el sordo a su petición. Hay quien ha interpretado la negativa a la petición de Isabel de Valois, como una pequeña venganza del rey, celoso de unas relaciones amorosas entre el joven príncipe y su madrastra inventadas por el francés Saint-Real[127]. Aunque se basen en una verdad histórica, nada de eso ha podido demostrarse. Cabe por supuesto la posibilidad de que aquel muchacho enclenque y psíquicamente enfermo, sintiera por su madrastra, que más que madrastra podría ser su esposa, algo más que una simple devoción y necesidad de cariño y protección maternos; pero Isabel, en cambio, muy enamorada de su esposo y dueño, vivía un matrimonio colmado de felicidad y, por tanto, no parece lógico que sintiera por aquel muchacho debilucho y conflictivo otra cosa que afecto y conmiseración. El hecho de que Isabel sollozara durante varios días después del desgraciado fin del inhabilitado príncipe heredero de la Corona, sólo demuestra su gran corazón y su misericordia. Y que el rey le prohibiera seguir llorando, sólo demuestra su preocupación como buen esposo. Isabel se encontraba en los primeros meses de un embarazo y su estado de salud había empeorado visiblemente.

7.

El 18 de enero de 1568 hicieron prisionero a don Carlos. Siete días más tarde le trasladaron de sus habitaciones al otro extremo de palacio, a un torreón que sólo tenía una puerta y una estrecha ventana. Contigua al torreón habilitaron una capilla y, haciendo un boquete en el muro, abrieron una segunda ventana con rejas para que el príncipe pudiera oír la Santa Misa y recibir la comunión sin salir de allí. Cambiaron también todos sus guardianes. En lugar del duque de Feria, Ruy Gómez pasó a ser el respon-

---

[127] Como sabemos, su narración *Histoire de Dom Carlos, nouvelle historique* (1672), sirvió de fuente principal para el drama de Schiller. La forma utilizada *Dom*, indica claramente que el autor francés no conocía bien la lengua española, por lo que tampoco podía conocer bien las fuentes. Sus afirmaciones carecen, por tanto, de valor. También en la versión original de Schiller, dice *Dom*.

170

sable y dejaron a sus órdenes al duque de Lerma y a otros seis nuevos guardianes, nobles cuyos nombres y títulos no hacen ahora al caso. Aquellos hombres recibieron el encargo de acompañar permanentemente al prisionero dándole conversación y procurándole distracción, pero sin volverle a hablar de los motivos de su cautiverio. Disolvieron, hasta el último ayuda de cámara, su pequeña Corte y también se llevaron sus caballos de la caballeriza; viendo las medidas que se estaban tomando, el pobre infeliz tuvo una vaga conciencia de que su aislamiento podría ser para largo. Ya era el momento de que su grave enfermedad mental recibida en herencia, hiciera crisis; una crisis anímica aguda y definitiva. En Juana hemos visto que la enajenación mental latente en ella, hizo brusca aparición después del impacto de un fuerte estímulo causado por la precipitada marcha de su marido; en don Carlos bastó un simple chispazo de luz que prendió en su inteligencia haciéndole ver que su prisión era definitiva, que había perdido su derecho de sucesión al trono. Su arresto no parecía un castigo temporal, más bien tenía trazas de estado duradero, definitivo; eso significaba que a partir de entonces había dejado de ser sucesor dinástico, había dejado de ser un ciudadano más, había sido borrado de entre los seres vivos.

El joven, antes enfermo físico, impotente sexual y deficiente mental, a partir de ahora es como Juana un loco frenético con algún ramalazo de luz a intervalos de diferente duración[128]. Tal como hiciera doña Juana, se negó a tomar alimento. Parecía un esqueleto. Su estado físico y psíquico eran de agotamiento y parecían anunciar un próximo fin. Su padre, el rey Felipe II fue a visitarle y, sólo con sus palabras, consiguió convencerle de que comiera. La alimentación le repuso parte de sus fuerzas y, con ellas, también la propensión a las más descabelladas ideas. Don Carlos pasaba horas acurrucado sobre unas almohadas como hiciera doña Juana, y noches enteras tumbado en el frío pavimento del torreón, cubierto sólo por una ligera camisa.

---

[128] Suponer un presunto cambio reactivo en el sentido de una psicosis causada por la prisión, sería insuficiente para explicar debidamente esta evolución.

Cuando doña Juana se excitaba, chillaba y arrojaba todo lo que hallara a su alcance a sus pobres damas. El príncipe profería palabrotas, insultos, blasfemias y maldiciones a sus guardianes cuando éstos le sacudían de su letargo debido casi siempre a las fiebres altas. *La salud del príncipe empeora de día en día; Tordesillas, donde su abuela murió loca, sería quizá para él...*, así informaba el embajador francés Fourquevaux a Catalina de Médicis, aludiendo con trágica claridad el nexo familiar entre bisabuela y biznieto[129].

Al igual que doña Juana, don Carlos también oscilaba con movimiento pendular de la piedad fervorosa a un atroz aborrecimiento por todo lo religioso. En la Pascua de 1568 se negó a recibir los sacramentos de la confesión y de la comunión, mostrando airadamente la puerta a su director espiritual Diego de Chaves; pero poco después había cambiado de opinión y suplicaba con vehemencia recibir los sacramentos. El rey, de escrupulosa conciencia para las cuestiones religiosas, decidió convocar un concilio de teólogos y plantear la cuestión de si era o no era correcto administrar la comunión a un enfermo mental. Y también se debatió otro tema, la conveniencia de mantener o no por más tiempo oculto o disimulado a las personas más próximas al príncipe, el doloroso hecho de que éste había perdido entera y definitivamente la razón. El padre Chaves, noblemente movido por su interés en la salud espiritual del joven, se opuso a esto terminantemente asegurando convencido al barón Dietrichstein, que el príncipe se encontraba en su sano juicio. La respuesta de los teólogos fue afirmativa, si bien convendría aprovechar los escasos momentos de lucidez mental que el muchacho, de vez en cuando, pudiera tener. Y así se hizo. Cuando don Carlos se encontraba lúcido recibía, con previa preparación, los sacramentos de la penitencia y de la eucaristía, a través de la ventana enrejada de su torreón. Pero al parecer, aquellos fervores pascuales no le valían de mucho y nada cambiaban su estado espiritual. Nada más empezar los calores estivales, el príncipe volvió a las andadas y a dedicarse a los más extravagantes desvaríos.

---

[129] *Dépêches*, II, 443.

Lo mismo pasaba días enteros bebiendo únicamente agua helada y sin ingerir alimentos, que sus excesos en las comidas eran tales que llegaban a provocarle vómitos y diarreas. Otra peculiaridad eran los escalofríos producidos por las fiebres crónicas; entonces se arrimaba al calor de la chimenea hasta quemarse la piel, pero otras veces daba órdenes de que le trajeran hielo troceado y lo esparcieran por la cama, y después se tumbaba desnudo en ella. En cierta ocasión se tragó una sortija con un diamante; después de buscarla afanosamente por todas partes, al no dar con ella acusó a sus guardianes y acompañantes de habérsela robado. Fue un gran escándalo que acabó bien gracias a los médicos y a las purgas. *Decir y hacer desatinos e injuriar al rey; tal es su única ocupación y es, al mismo tiempo, la mejor prueba de que se ha vuelto loco...*, afirmaba el ya citado Fourquevaux[130], tratando de resumir el estado de salud del príncipe poco antes de que aconteciera la catástrofe final. Un caluroso día de mediados de julio de 1568, don Carlos se zampó una empanada de perdices, regalo de unos cazadores, muy picante y fuertemente sazonada de aromáticas especias. Para mitigar su abrasadora sed, bebió después varios cubos de agua helada, y aquello le produjo un cólico que, dada la impericia de sus médicos para hacer nada, le condujo al fatal desenlace el 24 de julio, a las cuatro de la madrugada. Don Carlos también, como doña Juana, murió con la mente lúcida, después de confesar y recibir la absolución, y con entera entrega de su alma a Dios, feliz con la esperanza de la salvación eterna. Pero murió sin poder tomar la comunión; no pudo recibirla a causa de sus continuos vómitos.

«No cesó un solo momento de implorar perdón a Dios por sus muchos pecados, reconociendo haber sido muy ingrato con su Dios y con su padre. Difícilmente puede describirse el fervor cristiano con que se mantuvo hasta la última de sus sacudidas.» Ésta era la información que el secretario privado de Dietrichstein, enviaba a Innsbruck[131]. Y otro informe —esta vez en italiano—, también dirigido al

---

[130] *Dépêches*, I, 342.
[131] BUDINGER, 271.

emperador, añadía que el príncipe había pedido le recitaran una recomendación del alma dictada por Carlos V en su última hora; pero no llegó hasta el final. Le invadieron una especie de espasmos (*parossismi*), en medio de los cuales falleció[132]. Eran las mismas «sacudidas» ya citadas en el informe en italiano a Innsbruck. A pesar de sus insistentes ruegos, don Carlos no pudo volver a ver a sus parientes cercanos para pedirles perdón por el mal que les había causado. El rey fue implacable. Felipe II tiene esta última negativa a su hijo también cargada en su cuenta de rigores e inflexibilidades. Nadie parece querer recordar que el rey lo hizo en razón a los consejos recibidos; los médicos le insistieron en la importancia de evitar emociones al enfermo, por temor a que una última despedida a los suyos pudiera dar lugar a nuevos espasmos, excitarle aún más y poner las cosas peor de lo que ya estaban. Precaución ésta, fácilmente justificable. Hay una única fuente que dice que el padre, sollozando lágrimas amargas, se acercó sin ser visto a dar su bendición al hijo moribundo, oculto por dos de sus cortesanos. Podría ser así, pero no tenemos garantía de que esto sea cierto. El cadáver del príncipe recibió cristiana sepultura, primero en el convento de las Dominicas de Madrid, y en junio de 1573 fue trasladado a El Escorial donde actualmente reposan, finalmente en paz, sus restos.

8.

A los historiadores no españoles de los siglos XVII y XVIII, les fue reservado el trabajo de desfigurar la muerte de don Carlos, hasta convertirla en una espeluznante tragedia. Entre otras cosas se ha dicho que don Carlos fue procesado y sentenciado por la Inquisición. Que fue condenado a muerte, dicen, pero don Carlos recibió la gracia de poder elegir la forma de morir. A tal efecto hicieron pintar un lienzo con las diferentes formas de morir y se lo presentaron al príncipe para que éste eligiera. Como don Carlos rehusara todas ellas, decidieron envenenarle (según unos),

---

[132] BUDINGER, 275.

decapitarle (según otros), estrangularle con un cordón de seda (dijeron otros), abrirle las venas en un baño (afirmaron los de más allá) y hubo cronistas que, en aras de la exactitud y precisión, relataron detalladamente las cuatro forma de muerte, justificando que de una de las cuatro, con toda seguridad, tuvo que morir. En el año de gracia de 1795 abrieron el féretro y encontraron el cadáver de don Carlos entero[133]. Entonces no extrañó a nadie que después de doscientos veinte años de sepulcral reposo, la cabeza estuviera separada del tronco; en cambio, algunos autores lo han considerado prueba evidente de que había sido decapitado.

También se ha fantaseado mucho con la especulación de que, durante su largo tiempo de cautiverio, don Carlos hubiera redactado y dejado escrito un testamento tan noble y magnánimo como juicioso. Pero el original conservado en Simancas, público a partir del año 1854[134], manifiesta evidentemente haber sido escrito dos años después de la caída de don Carlos por las escaleras, en Alcalá de Henares; es decir, que fue escrito en el año 1564. Y Gachard también afirma[135] que no sólo la letra, sino el espíritu de ese documento pertenecen a Hernán Suárez de Toledo, que gozaba de especial confianza del príncipe y era doctor en Derecho especializado en cuestiones testamentarias y documentales de cualquier índole. Es decir, que querer sacar conclusiones, sean cuales fueren, sobre el carácter y el universo de las ideas de don Carlos, a partir de un testamento redactado por una persona extraña a él, sólo podría conducirnos a error.

9.

Sobre la historia de don Carlos, contrariamente a lo que sucede con doña Juana la Loca, se ha escrito una serie de excelentes estudios, algunos de reciente fecha. En pri-

---

[133] *Bulletins de l'Académie Royal de Bélgique*, 2ª serie I, 407.
[134] *Colección de documentos inéditos*, XXIV, 515.
[135] *Don Carlos*, 131.

mer lugar figuran el trabajo de Leopold Ranke y los libros de L. P. Gachard y Max Büdinger por su fuerte predominio de fuentes originales y, más que nada, por su exactitud en la crítica histórica[136]. Ranke trata de llegar a la verdad histórica pura, cargando todo el peso sobre los debates y pronunciamientos ya habidos en cuestiones que, hoy en día, aún continúan siendo polémicas. En cambio, el interés de la monografía de Gachard se basa más en una combinación que en una selección de todas las fuentes imaginables a nuestro alcance y que ininterrumpidamente se nos ofrecen a lo largo de toda la materia. Pero así como estos dos autores se afanan en razonamientos confusos y puramente histórico-políticos, sin despejar el problema de la oposición entre el rey y el heredero de la Corona, el vienés Max Büdinger fue el que encontrara la única plataforma viable: consultar a un médico de la especialidad y conocer su dictamen sobre la cuestión de don Carlos desde un punto de vista psiquiátrico, que nos aclarase la causa originaria de la tragedia de este príncipe.

Y el dictamen dice lo siguiente (p.174): «Debilidad mental fue la definición del estado de salud del joven príncipe heredero, que el famoso psiquiatra[137] –a quien re-

---

[136] El libro escrito por F. Rachfal sobre don Carlos significó dar un atrevido paso atrás que más valiera que nunca se hubiera impreso. Rachfal parte de la falsa hipótesis de una mente normal, y no de una mente enferma desde la infancia. Sobre esta base, Rachfal considera la historia del príncipe Carlos como una especie de *enredo de índole psicológico y pedagógico* y opina que el más culpable de todo no es el hijo, sino el padre que primero no le supo comprender y después tampoco supo rectificar. También Víctor Bibl tiene un corto capítulo dedicado al estudio de don Carlos en un libro sobre los herederos de tronos europeos y la suerte que corrieron, que vuelve a reproducir en su biografía del emperador Maximiliano II. Bibl llega a la conclusión de que *la interpretación dada por Schiller, no es, en modo alguno, pura fantasía*, y que, en general, el don Carlos de la poesía se aproxima mucho más al real, que el don Carlos de las biografías históricas. Pero no acompaña su apreciación con más documentación donde él haya basado sus conclusiones. En el prólogo de su biografía de Maximiliano II, hay una lista de archivos utilizados por él; pero en los textos de sus libros no se encuentran las citas de fuentes manuscritas o impresas que justifiquen sus conclusiones. Y por otra parte, de las erratas de imprenta conocidas de todos desde hace tiempo, saca conclusiones totalmente erróneas. Para él no existe la corrección hecha a una traducción errónea de Bergenroth. Y tampoco está de acuerdo con Rachfal; pero la explicación que da en oposición a lo que dice Rachfal es otro nuevo retroceso y, por lo mismo, imperdonable.

[137] Era el entonces profesor clínico de la Universidad de Viena, Prof. Theodor Meynert.

cuerdo con inmensa gratitud– utilizó después de conocer los testimonios sobre su salud física y psíquica, más relevantes». Pero aún nos queda algo que añadir al excelente trabajo realizado por Büdinger, que nos parece esencial. Y es que Büdinger, apoyado en el dictamen pericial de Meynert, es decir, basado en la debilidad mental de don Carlos, sacó sus conclusiones para explicar, tanto la conducta del rey, como la de su hijo, pero dejó sin unificar los diversos síntomas de esa debilidad mental de tal modo que podamos tener un cuadro general de la enfermedad, conforme a la doctrina y experiencia de la psiquiatría moderna. Es por tanto tarea nuestra añadir ahora nuevos informes y opiniones, tenidos por ciertos en el anterior estudio sobre doña Juana la Loca, y aplicarlos al problema de don Carlos. Entonces podremos ver que las comprobaciones de Büdinger también llegaban a un nexo de índole hereditaria, entre doña Juana y don Carlos.

El deteriorado estado mental de don Carlos ya en su infancia, influido o no por el raquitismo, no era una psicosis endógena ni exógena, sino una enfermedad del grupo de las orgánicas. La traba, de marcado carácter hereditario, que hace su aparición y detiene su desarrollo mental normal a los tres años de edad, en su forma más grave es conocida como idiotez o estupidez, y en su forma más suave como imbecilidad o deficiencia mental. Don Carlos, biznieto de una esquizofrénica, la reina doña Juana, hijo de un matrimonio de doble consanguinidad, era un eslabón de una larga cadena de casamientos entre parientes cercanos. Pero era, además, el fruto inmaduro del amor de dos muchachos aún demasiado jóvenes, y a esto hemos de sumar también que la privación del pecho materno fuera la primera causa de su raquitismo. Así que, en este caso concreto, se daban todas las condiciones previas para una deficiencia mental que enseguida se hizo notar. En lo poco que conocemos de los primeros años de vida de don Carlos, ya hay bastantes síntomas sospechosos –tres años de enmudecimiento, mordiscos a sus nodrizas, irritabilidad con sólo siete años– que hacen suponer el principio de la debilidad mental llamada «imbecilidad». Su aspecto físico de niño también respondía plenamente al de tal enfermedad.

Badoero comentaba en alguna ocasión que su cabeza era desproporcionada, y en la descripción hecha por Dietrichstein también quedaba patente su raquitismo. Su voz de castrado, su tartamudez, la boca medio abierta, falta de aseo, impotencia, todo ello coincide con una continua degeneración del desarrollo físico del niño y con las características propias de una debilidad mental congénita. Sus crónicas fiebres intermitentes y la hinchazón de la cabeza, posterior a la caída en Alcalá de Henares, sólo son trastornos secundarios de otra naturaleza aunque, seguramente, perjudicaran aún más su congénita debilidad. La psiquiatría distingue varios tipos de imbecilidad, pero sobre todo los cuatro siguientes: imbecilidad intelectual, moral, emocional e impulsiva[138]. Vamos a fijarnos pues, en las características de don Carlos.

La característica predominante en el ámbito de la debilidad mental intelectual es la incapacidad para llevar a buen término cualquier tipo de estudio y, por tanto las posibilidades de recibir una educación son muy reducidas. La memoria, el entendimiento y la voluntad están igualmente inhibidos y no pueden desarrollarse suficientemente. Lógicamente, el enfermo, además de no tener capacidad intelectiva ni de asociación de ideas, tampoco tiene capacidad de concentración mental. No coordina sus ideas, no puede disimular, responde a los argumentos que se le dan con tópicos a veces inadecuados, en su inteligencia no quedan vestigios ni de sus conclusiones equivocadas ni de sus contradicciones, y su interés por las cosas es poco o sólo momentáneo y además rápidamente decae y desaparece. El aprendizaje de su lengua materna fue para el pequeño don Carlos un arduo trabajo. El resto de sus aprendizajes de latín, francés, geografía e historia, matemáticas y ciencias naturales, fue solamente un simulacro; sus maestros y educadores continuamente se quejaban e informaban al rey del poco provecho de los estudios de su hijo. Ya cumplidos los veinte años, tuvo la oportunidad de pensar por cuenta propia, de poder razonar y aconsejar a los demás, tomar decisio-

138 KRAEPELIN, 661.

nes, incluso tuvo un cargo de responsabilidad en el Consejo de Estado, pero su debilidad e insuficiencia mental causaron enormes trastornos y demasiada confusión e hizo imposible la buena marcha de los asuntos de Estado. Aquello fue fácil de resolver, porque su interés en ello era muy escaso y decayó enseguida, hasta el punto de abandonarlo por cuenta propia. Otro rasgo característico de debilidad mental es la persistente inclinación a las excentricidades, a las bromas pesadas, y a querer llevar a cabo grandes empresas con medios poco proporcionados o incluso pueriles. Claro ejemplo de esto último que decimos sería el capricho de tener un elefante en sus aposentos, tragarse una perla para burlarse de su vendedor, o sus preparativos de fuga colmados de una fantasía oriental y de una lógica infantil; son manifestaciones de una inclinación a las excentricidades. El corto discernimiento de los débiles mentales busca su compensación perseverando tercamente en las pocas cosas que pueden captar, persistiendo, generalmente con obstinación y con bastante impertinencia, en sus formas y opiniones, y completamente cerrados a los argumentos de razón. «No permite que se le contraríe en lo que sea su voluntad», decía Dietrichstein comentando su tozudez. Y Tiépolo en otro lugar añadía: «Es testarudo en sus opiniones y no se deja dar lecciones por nadie, aunque su conocimiento del mundo sea tan escaso». Y recordemos también su obstinación siendo aún niño, cuando a toda costa quería la estufa de su abuelo el emperador Carlos V o cuando no quería ceder en su idea de que el emperador nunca debía haber abandonado Innsbruck para poner a salvo su vida, o si no, cuando don Juan de Austria trataba de disuadirle de su fuga razonándole, a sus veintidós años, la inconveniencia de llevar a cabo aquella locura.

Con respecto a la debilidad mental moral, ésta se manifiesta sobre todo por la patológica forma de supervalorar la dignidad personal incluso con delirios de grandeza; en el caso de don Carlos, ni su desmedida ambición ni tampoco su absurda prodigalidad guardaban proporción con sus dotes naturales ni con sus posibilidades personales. Que don Carlos no fuera capaz de reprimir su entusiasmo por su temprano nombramiento de heredero de la Corona, no tendría que ser necesariamente una evidencia de anormalidad psíquica; sí lo es, en cambio, el hecho de que hiciera saber a la corte portuguesa por medio de su embajador, que si alguno desdeñaba u olvidaba darle el título de príncipe heredero, lo iba a pasar mal. Y un delirio de grandeza es también que un rapaz de once años osara enviar una embajada con un *billete* al emperador a su regreso a España, así como su impertinente actitud frente a un Duque de Alba que humildemente se excusaba de haber olvidado besarle la mano durante la ceremonia de la jura de las Cortes de Castilla. Que la ambición de don Carlos era patológica, no requiere ya más explicación ni mayor precisión. El joven príncipe se sentía tratado como un menor, pero no era consciente de su inferioridad, ni de su minoría de edad mental. Más que gobernar, quería reinar como soberano, pero ni conocía ni entendía la política de su padre, ni tampoco era capaz de concederle una mínima atención. Don Carlos podía estar desbarrando durante varias horas ante nobles y militares, explicando sus planes de guerras futuras, que algún día pensaba ganar, y prometiéndoles no escatimar reinos para ellos, si allí mismo le prestaban juramento de sumisión. Su prodigalidad era harto conocida de todos, por las múltiples informaciones recibidas de embajadores extranjeros. A todo lo que hasta aquí se ha dicho, aún podríamos añadir un dato más de Badoero[139], afirmando que cuando don Carlos no disponía de dinero suficiente para sus caprichos, se desprendía de sus ropajes y objetos de adorno por cantidades de dinero irrelevantes; y Fourquevaux[140] también nos dice en otro lugar, que el rey estaba plenamente convencido de que, cuando el príncipe se casara, tendrían continuas querellas sólo por su permanentes peticiones de dinero y que en vez de 100.000 escudos anuales, una vez casado necesitaría tres o cuatro veces más.

Los débiles mentales suelen padecer de gula y don Car-

---

[139] GACHARD, R*elations,* 63.
[140] *Dépêches,* I, 257.

los también sufría una desmesurada gula, que le hacía devorar los alimentos sin mesura ni dominio de sí mismo. El simple hecho de tener este defecto no significa, en sí mismo, ser deficiente mental; el emperador Carlos V también comía con gula y en exceso y, sin embargo, no existen dudas sobre su salud mental. Pero cuando este defecto se da en una persona junto a otros síntomas de la enfermedad, como era el caso de don Carlos, entonces sí debe ser considerado como rasgo característico a ser tenido en cuenta. No obstante, de todas las formas de manifestación de debilidad mental, la más grave y triste, la de peores consecuencias, es sin duda alguna la falta de principios morales, la falta de moralidad. Como es sabido, Lombroso ha sido el primero en hallar la relación existente entre este rasgo de una enfermedad mental y la criminalidad; el *delinquente nato* es un ser presionado por una debilidad mental desde su infancia y que se hace patente en la juventud. Pero tratar de aplicar la tipología de la delincuencia nata al desdichado don Carlos, sería ir demasiado lejos. Sin embargo, hemos de reconocer que su falta de moral y la debilidad de su inteligencia se agravaron tanto que, desgraciadamente, podemos afirmar su absoluta debilidad mental moral. Sabemos por ejemplo, que cuando tomaba aparte a sus nobles y súbditos para pedirles su leal devoción y juramento de sumisión, irracionalmente les prometía sus reinos y heredades, pero además, les obsequiaba con toda suerte de beneficios y presentes. Repartía dinero, medallas, cadenas de oro, y cuando ya no le quedaba nada, regalaba incluso su principesca ropa. «Su ambición era demasiado generosa», en opinión de Ranke[141], lejos de querer dar testimonio de la debilidad mental del príncipe. No obstante, desde el punto de vista de la psiquiatría, este asunto tiene otro sentido totalmente diferente, porque lo que en realidad buscaba don Carlos, movido por una ambición patológica, era hacerse con el mayor número posible de súbditos partidarios para que luego fueran sus esclavos. Y para ese fin halló un medio irracional desde su origen –inmoral aunque no fuera previamente deliberado–, que con-

---

[141] RANKE, p. 497.

181

sistía en prodigar sobornos para comprar aquellos juramentos[142].

Una muestra más de la debilidad mental moral de don Carlos es su lamentable comportamiento con veinte años ya cumplidos. ¡El heredero de la Corona escuchando detrás de una puerta! Una conducta propia más bien de una criada chismosa. Y por último, la forma elegida para probar su virilidad vuelve a ser una evidencia de carencia de integridad moral patológica, y otra manifestación de la falta de dignidad y de decoro en un príncipe adulto, hijo del rey. Pero lo más grave en una mente deficiente por debilidad mental moral, es la persistente animadversión que con frecuencia y en todos los grados imaginables sienten contra sus parientes y allegados, muy en particular, contra los propios padres. Nuestro indolente don Carlos tampoco estuvo exento de ese escalofriante grado de miseria mental. Con motivo de un jubileo (que no pudo lucrar), unos frailes oyeron de boca del propio don Carlos que el odio que sintiera hacia su padre era mortal. Un odio tan fuerte que el desdichado estaba firmemente decidido a quitarle la vida a su padre, cuando se le presentara la oportunidad de hacerlo. Ranke[143] lo explica con muchos pormenores pero sin detenerse a investigar sus causas patológicas.

---

[142] Éste es el momento de precisar las relaciones, tantas veces mal interpretadas, de don Carlos con su preceptor Honorato Juan. Del hecho de que don Carlos le citara en dos cartas como su único y verdadero amigo, y de que en una ocasión le escribiera que estaba loco de alegría porque pronto iban a volver a verse, se han sacado conclusiones demasiado precipitadas, porque el carácter de don Carlos era incapaz de albergar sentimientos de esa índole. Honorato Juan, sin menoscabo de sus otros méritos, era un hombre ambicioso y humanamente vanidoso. A pesar de su sabiduría, ignoraba la debilidad mental de su pupilo, al que atormentaba con aburridas lecturas de clásicos latinos, y murió, con fervor y recogimiento, antes que el vástago de la casa real, cuya instrucción creía él ser, más que un honor, un medro para su persona. El ejemplo de sus predecesores le tenía inquieto. El maestro de Carlos V, Adriano de Utrecht, había llegado a ser Papa; el instructor de Felipe II, Martínez Silíceo, fue nombrado arzobispo y luego cardenal. Así que, Honorato Juan, en sus últimos años, se dedicó a la teología y, por intercesión del príncipe, fue revestido de la dignidad episcopal. Murió en 1566, siendo obispo de la diócesis de Osma. Claro es, que este ascenso largamente soñado y discretamente adquirido, aumentó su ciega adhesión al que un día fuera su discípulo y ahora era su protector; este dignatario tan servicial, en efecto, fue un hombre como deseaba don Carlos que, con su patológica ambición y sus extremados deseos de mando, sólo deseaba tener en su entorno a personas de poca voluntad enteramente sometidas a él.

[143] Pp. 477 ss.

La debilidad mental emocional se caracteriza sobre todo por accesos de cólera también patológicos, y por ataques de locura más o menos graves; y consecuentemente por inexplicables actos de violencia o serias intenciones de represalia y venganza. En este punto no necesitaremos detenernos mucho; basta con remitirnos a los hechos y a las pruebas, sin más explicación.

En un arrebato de ira, don Carlos arrancó con los dientes la cabeza a su tortuga. En otra ocasión, encolerizado, mandó propinar una paliza al hijo de un hombre del pueblo, desconocemos los motivos, y para amainar las iras del padre y evitar un escándalo mayor, hubo que pagarle una fuerte suma de dinero. Recordemos también la bofetada a su ayuda de cámara, aquel lacayo que estuvo a punto de ser arrojado por la ventana, la ofensa al Duque de Alba al despedirse antes de su marcha a los Países Bajos, así como al cardenal Espinosa por un asunto de unos comediantes; o el intento de disparar a don Juan de Austria y los muchos puñetazos, unas veces amagados, otras repartidos, relatados por el embajador florentino. Y también son pruebas evidentes sus absurdas órdenes de castigo más bien propias de un déspota oriental, como la orden de ahorcar a un paje cuando don Carlos sólo contaba siete años de edad, o cuando años más tarde diera orden de prender fuego a una casa con sus habitantes, por el hecho de haber sido rociado con un balde de agua sucia. Y ya en su cautiverio es cuando, por último, le vemos en otro de sus accesos de ira, típico de la deficiencia mental.

La debilidad mental impulsiva se caracteriza sobre todo por inconcebibles actos de violencia, y su forma más grave es el impulso patológico a torturar y matar seres de cualquier especie. Este tipo de actos de crueldad de los deficientes mentales, es decir, de una crueldad debida a impulsos patológicos, suele estar relacionado con la excitación sexual aun a falta de las demás condiciones previas normales para tales estímulos. «Tratar de obtener satisfacción sexual atormentando o matando animales», dice Kraepelin (p. 676), «no es tan extraño». Por eso podemos decir también que estrangular liebres, asar conejos vivos o la carnicería provocada a sus caballos dentro de las caballerizas, son pruebas tan evidentes como tristes, de que don Carlos también sufría esta forma de imbecilidad intelectual. En otras palabras, don Carlos era un probado y peligroso sádico.

Hasta aquí el cuadro de la enfermedad de un príncipe digno de compasión, en lo que se refiere a su deficiencia mental, porque de vez en cuando también aparecen ciertos rasgos esquizofrénicos como negativismo y agresividad. Pero nosotros no disponemos de fuentes suficientemente precisas que evidenciaran otros rasgos característicos de acinesia, como son por ejemplo las manías, extravagancias, etcétera, de carácter patológico. No obstante, no parece del todo imposible que, si este príncipe raquítico físicamente y deficiente psíquicamente hubiera tenido muchos años de vida, en él todo hubiera degenerado hacia un embrutecimiento en su forma más grave llamada idiotez. Porque, ¿cómo explicar, si no, el comportamiento psíquico de su corta cautividad, diametralmente opuesto a la imagen precedente? En la zona peligrosa de los 15 a los 23 años, le sobrevino aquel violento estímulo que, por así decir, provocara una descarga en la materia inflamable latente en su cerebro enfermo. A partir de aquel momento empieza a dar muestras y síntomas de debilidad mental, desconocidos hasta entonces: negarse temporalmente a tomar alimentos; decir continuos desatinos, emborronar montones de papeles en cartas difamando, mintiendo, y luego destruirlos; estar en un estado de estupor catatónico interrumpido por esporádicos accesos de cólera. Dicho brevemente, don Carlos fue recorriendo el mismo tenebroso camino sin regreso que, unos años antes que él, recorriera doña Juana. ¿Cómo negar el nexo patológico que existe entre bisabuela y biznieto, cómo decir que no existe relación entre la esquizofrenia de doña Juana y la de don Carlos? Intentaremos aclararlo con más precisión. El descendiente aventajó con mucho a su bisabuela en debilidad física, en su estado de salud enfermizo y en su degeneración final. Una degeneración que para él supuso una piadosa y consoladora liberación, pues sin duda alguna le preservó de interminables años de sufrimiento. Su enfermedad mental apenas si tuvo tiempo de desarrollarse.

Ésta es la triste realidad de don Carlos, desventurado biznieto y heredero sanguíneo de doña Juana la Loca. En su féretro quedó para siempre extinguida la última chispa del legado espiritual de su bisabuela. Con su muerte quedó redimida y lavada para siempre la culpa de doña Juana la Loca.

TABLA GENEALÓGICA DE LOS HABSBURGO ESPAÑOLES HASTA FELIPE II

FERNANDO V DE ARAGÓN (1452-1516)
Casado en 1469 con ISABEL DE CASTILLA (1451-1504) hija de Juan II

Isabel (1470-1498)
Casada en primeras nupcias con el infante Alfonso de Portugal y en segundas con el rey Manuel de Portugal (1469-1521)

Miguel (1498-1500)

Juan (1478-1497)
Casado con Margarita de Austria, hija de Maximiliano I

Juana la Loca (1479-1555)
Casada en 1496 con Felipe el Hermoso, hijo de Maximiliano I

María (1482-1517)
Casada en 1500 con el rey Manuel de Portugal, viudo de su hermana Isabel

Catalina (1485-1536)
Casada en primeras nupcias con Arturo, príncipe de Gales, y en segundas con Enrique VIII de Inglaterra, divorciados en 1533

María Tudor (1516-1558)
Casada en 1554 con Felipe II

Leonor (1498-1500)
Casada en primeras nupcias (1519) con el rey Manuel de Portugal, viudo de las tías de ella, Isabel y María, en segundas (1530), con el rey Francisco I de Francia

Carlos V (1500-1568)
Casado en 1526 con Isabel de Portugal (1503-1539), hija de Manuel y María

Hijos del primer matrimonio:
Carlos (Murió joven)
María (1521-1577) Murió soltera

Isabel (1501-1525)
Casada en 1515 con el rey Cristián de Suecia y Noruega, destronado en 1524
Tres hijos y dos hijas

Fernando (1502-1564)
Rey de Bohemia y Hungría (1527), rey de romanos (1531), emperador (1556), casado con Ana Jagellón, hermana y heredera del rey Luis II de Bohemia y Hungría

Maximiliano II
Emperador desde 1564 a 1576, casado en 1568 con María, hija de Carlos V

Ana (1549-1570)
Casada en 1570 con Felipe II

Isabel (1554-1592)
Casada en 1570 con Carlos IX de Francia

María (1505-1558)
Casada en 1521 con el rey Luis II de Bohemia y Hungría, derrotado y muerto en 1526. De 1530 a 1556 fue gobernadora de los Países Bajos

Catalina (1507-1577)
Casada en 1525 con Juan III de Portugal

María (1527-1545)
Casada en 1543 con Felipe II

Juan Manuel († 1554)
Casado en 1552 con Juana, hija de Carlos V

Felipe II (1527-1598)

María (1528-1603)
Casada en 1548 con Maximiliano II

Juana (1535-1576)
Casada en 1552 con el príncipe Juan Manuel de Portugal, † 1554

Del primer matrimonio con María de Portugal:
Don Carlos (1545-1568)

Del matrimonio con Isabel de Valois:
Isabel Clara Eugenia (1566-1633)
Catalina Micaela (1567-1597)

Del matrimonio con Ana de Austria:
Todos menos Felipe III, murieron en la infancia.
Carlos
Lorenzo
Diego
Felipe III
María

Hijos bastardos de Carlos V

1. Margarita de Parma (1521-1586), gobernadora de los Países Bajos. Hija de la señorita van Geest.

2. Juana (1522-1530): murió de niña en el convento de Agustinas de Madrigal.

3. Don Juan de Austria (1547-1578), hijo de Bárbara Blomberg de Regensburgo.
Carlos V estuvo casado de 1526 hasta 1539. Por consiguiente, las dos hijas bastardas las tuvo antes de casarse, y el hijo, siendo viudo.

FUENTES

Esta lista de fuentes no pretende abarcar toda la bibliografía de la época, sino que solamente se indican en ella las obras que hemos citado en las notas de nuestro libro.

ALBERI, E., *Relazioni degli ambasciatori veneti al senato.* Florenz *1839-63.* 15 tomos.

BERGENROTH, G. A., *Supplement to Volume 1 and 2 of Letters, Despatches and State Papers relating to the Negotiations between England and Spain.* London 1868.
— *Kaiser Karl V: und seine Mutter Johanna. In: Historische Zeitswchirift 20* (1868), 231.

BIBL, V., *Thronfolger.* München 1929.

BLEULER, E., *Dementia Praecox oder Gruppe der Schizophrenien.* Liepzig 1911. *Handbuch der Psychiatrie, hrsg. von Aschaffenbuirg, Spezieller Teil,* tomo 4.

BOSTROEM, A., u. BIRNBAUM, K., *Störungen des Willens, Handelns und Sprechens.* Berlin 1928. *Handbuchder Geistesskrankheiten, hrsg. von O. Bumke.*

BRATLI, Ch., *Philippe II, roi d'Espagne.* Paris 1912.

BREWER, J. S., ver *Letters and Papers...*

BÜDINGER, M., *Don Carlos' Haft und Tod.* Wien 1891.

CABANÈS, M., *Le mal héréditaire.* Tomo I: *Les descendants de Charles-Quint.* Paris 1926.

CABRERA, Luis, *Historia de Felipe II.* Madrid 1876-1877. 4 tomos.

Calendar of Letters, Despatches and State Papers relating to the Negotiatios between England and Spain. London 1862-1916. 11 tomos.

Cartas del cardenal Francisco Ximénez de Cisneros dirigidas a D. Diego López de Ayala, publicadas por P. de Gayangos y La Fuente. Madrid 1867. 2 tomos.

CASAS, Bartolomé de las, *Historia de las Indias.* In: *Colección de documentos inéditos para la historia de España.* Madrid 1876-76.

CEDILLO, Conde de, *El Cardenal Cisneros gobernador del reino,* Madrid 1921.

Colección de documentos inéditos para la historia de España, Madrid 1842-95.

Collection des voyages des souverains des Pays-Bas, ver Gachard.

Compendio degli stati et governi di Flandra. Manuscrito (cod. ital. 190, fol. 411.424) der Münchener Staatsbibliothek.

Correspondance de Philippe II, ver Gachard.

FORNERON, H., *Histoire de Philippe II.* Paris 1881. 4 tomos.

FOURQUEVAUX, ver Rouer.

FRIEDELL, E., *Kulturgeschichte der Neuzeit.* München 1928. 3 tomos.

GACHARD, L. P., *La Bibliothèque nationale à Paris. Notices et extraits des manuscrits qui concernent l'histoire de Belgique.* Brüssel, 1877-82. 2 tomos.
 — *Collection des voyages des souverains des Pays–Bas.* Brüssel 1874-82. 4 tomos.
 — *Correspondance de Philippe II sur les affaires des Ppays–Bas.* Brüssel 1848-79. 5 tomos.
 — *Don Carlos et Philippe II.* 2ª ed. Paris 1867.
 — *Sur Jeanna la folle, etc.* In: *Bulletins de l'Académie royale des sciences, des lettres et des beaux arts de Belgique,* 2ª serie, 27 (1869), 200, 485, 716.

— *Sur Jeanne la folle net la publication de M. Bergenroth.* Ebendort 28 (1869), 358.

— *Jeanne la folle et Saint François de Borja.* Ebendort 29 (1870), 290.

— *Les derniers moments de Jeanne la folle.* Ebendort 29 (1870), 389.

— *Jeanne la folle et Charles-Quint.* Ebendort 29 (1870), 710.

— *Les monuments de la diplomatie vénitienne.* In: *Mémoires de l'Académie royale des sciences, des lettres et des beaux arts de Belgique, tomo 27.* Brüssel 1853.

— *Relations des ambassadeurs vénitiens sur Charles-Quint et Philippe II.* Brüssel 1855.

— *Lettres de Philippe II à ses Filles.* Paris 1884.

GALÍNDEZ DE CARVAJAL, L., *Anales breves del reinado de los Reyes Católicos.* In: *Colección de documentos inéditos.* Tomo 18. Madrid 1851.

GÓMEZ DE FUENSALIDA, G., *Correspondencia publicada por el Duque de Berwick y de Alba.* Madrid 1907.

GRANVELA, *Papiers d'État du cardinal Granvelle, publiés sous la direction de Ch. Weiss.* Paris 1841-52. 9 tomos.

HEINE, G., *Briefe an Kaiser Karl V., geschrieben von seinen Beichtvater in de Jahren 1530-32.* Berlin 1848.

HENNE, A., *Histoire du règne de Charles-Quint en Belgique.* Brüssel 1858. 10 tomos.

HÖFLER, C. R., *Doña Juana.* Wien 1885.

— *Der Aufstand der kastilianischen Städte gegen Kaiser Karl V. Prag* 1876.

HUIZINGA, J., *Herbs des Mittelalters.* München 1924.

HUME, M. A. S., *Philip II of Spain.* London 1897.

KOCH, M., *Quellen zur Geschichte des Kaiser Maximilian II.* Leipzig 1857.

KRAEPELIN, E., *Psychiatrie,* 4ª ed. Leipzig 1893.

LAFUENTE, M., *Historia general de España.* Madrid 1850-66. 30 tomos.

LAFUENTE, Vicente de, *Juana la Loca vindicada de la nota de herejía*. Madrid 1870.

LALAING, A. de, *Voyage de Philippe le Beau en Espagne*. In: *Collection des voyages des souverains des Pays-Bas*, I, 121.

— *Letters and Papers, Foreign and Domestic, of the Reign of Henry VIII. Arranged by J. S. Brewer, J. Gardner and R. H. Brodie.* London 1862-1910. 21 tomos.

LOKEREN, M. A. van, *La Cour du Prince à Gand*. In: *Le Messager des sciences historiques 1841*.

LÓPEZ DE GÓMARA, Fr., *Annals of the Emperor Charles V. Spanish text and english translation edited by R. B. Merriman*. Oxford 1912.

LOSERTH, J., *Die Reise des Erzherzogs Karl nach Spanien 1568-69*. In: *Mittelungen des Historischen Verein für Steiermark, 44* (1896), 130.

LLORENTE, J. A., *Histoire critique de l'Inquisition d'Espagne*. Paris 1817. 4 tomos.

MARIETA, Juan de, *Historia eclesiástica de todos los Santos de España*. Cuenca 1596.

MÁRTIR DE ANGLERÍA, P., *Opus epistolarum*. Amsterdam 1670.

MIGNET, F. A., *Charles-Quint, son abdication, son séjour au monastère de Yuste*. 2ª ed. Paris 1854.

MOELLER, Ch., *Eléonore d'Autriche et de Bourgogne, reine de France*. Paris 1895.

MÜNZER, Hieronimus, *Itinerarium hispanicum 1494–95*, hrsg. von L. Pfandl. In: *Revue Hispanique*, 48 (1920).

PADILLA, Lorenso de, *Crónica de Felipe I*. In: *Colección de documentos inéditos para la historia de España*, t. 8 (1846)

PORREÑO, Baltasar, *Dichos y hechos del rey Felipe II*. Sevilla 1639.

RACHFAHL, F., *Don Carlos. Kritische Studien*. Freiburg 1921.

RANKE, L., *Die Osmanen und die spanishce Monarchie mi 16. und 17. Jahrhundert*. Leipzig 1877. *Sämtliche Werke*. t. 35-36.
— *Don Carlos*. Leipzig 1877. *Sämtliche Werke*, t. 40-41.

RASSOW, P., *Die Chronik des Pedro Girón und andere Quellen zur Geschichte Kaiser Karls V.* Breslau 1929.

Relazione compendiosa della negotiatione di Msgr. Sega nella corte del Re Cattolico. Manuscrito (*Cod. ital. 133, fol. 19-95*) der Münchener Staatsbibliothek.

ROESLER, R., *Johanna die Wahnsinnige, Königin von Kastilien.* Wien 1870.

ROTH VON SCHRECKENSTEIN, K. H., *Briefe des Grafen Wolfgang zu Fürstenberg zur Geschichte der Meerfahrt des Königs Philipp von Castilien (1506).* In: *Zeitschrift der Gesellschaft für Beförderung der Geschichts– und Volkskunde von Freiburg,* I (1869), 123.

ROUER, Raymond de, Sieur de Fourquevaux, *Dépêches 1565-72, publiées par l'abbé Douais.* Paris 1896-1904. 3 tomos.

ROZMITAL, J. L., *Hof– und Pilgerreise durch die Abendlande.* Stuttgart 1844. *Bibliothek des Literarischen Vereins,* tomo 7.

SALAZAR DE MENDOZA, Pedro, *Origen de las dignidades seglares de Castilla y León,* Toledo 1618.

SANDOVAL, Prudencio de, *Historia de la vida y hechos del emperador Carlos V.* Amberes 1618.

SEGA, Filipo, ver *Relazione compendiosa.*

STORCH, L., *Geschichte Kaiser Karls V.* Leipzig 1853.

VÁZQUEZ, Alonso, *Los sucesos de Flandes en tiempo de Alexandro Farnese.* Manuscrito de la Biblioteca Nacional de Madrid. Resumen en Gachard, *Les bibliothèques de Madrid* etcétera, Brüssel 1875, p. 137 y 455.

VITAL, L., *Premier voyage de Charles-Quint en Espagne.* In: *Collection des voyages des souverains des Pays–Bas publiés par L. P. Gachard,* tomo 3.

WALTHER, A., *Die Anfänge Karls V.* Leipzig 1911.

XIMÉNEZ DE CISNEROS, ver *Cartas.*

ÍNDICE ONOMÁSTICO

ÍNDICE ONOMÁSTICO

C

Cabrera, Luis, 147, 161
Calderón de la Barca, 141
Calvino, 11, 37
Cambrai, 55
Carlomagno, 51
Carlos el Temerario, 51, 52, 55, 59, 83
Carmelo, reforma del, 36
Carrillo, 16
Catalina de Aragón, 21, 47, 67, 77
Catalina de Médicis, 161, 172
Catalina de Siena, 36
Catalina, Infanta, reina de Portugal, 87, 89, 90, 94, 95, 96, 97, 98
Cavalli, embajador veneciano, 159
Cisneros, Cardenal Ximénez de, 11, 33, 34, 35, 36, 37, 38, 43, 44, 45, 46, 87, 88, 91, 117
Clímaco, Juan, 36
Cobos, secretario de Carlos V, 123, 124
Coimbra, 19
Coligny, Almirante, 161
Commines, Philippe de, 60
Comuneros, 49, 97, 119, 120, 121, 122, 131
Concilio, de Trento, 35, 123, 125
Concilios nacionales, 39
Conchillos, Lope de, 74
Consejo de Aragón, 29
Consejo de Castilla, 29, 110, 169
Consejo Real, 28, 29, 30, 32, 159, 179
Contarini, embajador veneciano, 125, 130
Contrarreforma, 11, 33, 46
Coplas del Provincial, 15
Corán, 44
Cortes,8, 25, 30, 39, 63, 107, 118, 119, 122, 127, 147
Cortes de Aragón, 8, 74, 118

Cortes de Castilla, 8, 74, 75, 79, 80, 88, 118, 150, 180
Cortes de Europa, 58, 167
Coruña, 78
Croy, Guillermo de, conde de Roeux, 116, 124, 125
Chaves, Diego de, director espiritual del príncipe Carlos, 172
Chièvres, 93, 94, 106, 116, 117, 131

D

De Veyre, flamenco al servicio de Felipe el Hermoso, 74
Dementia praecox, 102
Denia, «carcelero» de Juana, 96, 106
Díaz de Quintanilla, barbero del Príncipe Carlos, 145, 160
Diego de Alcalá, San, 152
Dietrichstein, Adam von, embajador austríaco, 133, 155, 156, 157, 160, 172, 173, 178, 179
Duarte I, 16

E

Eduardo IV de Inglaterra, 59
Egmont, 162
El Escorial, 107, 135, 163, 164, 174
Enrique el Navegante, 14
Enrique IV, 11, 15, 17, 18, 25, 26, 28, 30
Enrique VII, 77, 88, 90
Enrique VIII, 47, 88
Epilepsia, 102
Erasmo, 55, 56, 60
Espinosa, Cardenal, Presidente del Consejo de Castilla, 169, 183
Estrada, ayuda de cámara de Juana, 93

194

ÍNDICE

AYER Y HOY
DE LA HISTORIA

Acontecimientos y personajes que han enriquecido la historia, abriendo nuevos rumbos a la cultura humana. Autores del máximo prestigio en su materia.

LA HORA DE TOMÁS MORO
Solo frente al poder
Peter Berglar
3ª edición

RETRATO DEL PADRE LAGRANGE
Jean Guittón

ISABEL DE ESPAÑA
William Th. Walsh
2ª edición

LA VIDA DE DISRAELI
André Maurois
2ª edición

LA MADRE TERESA
Edward Le Joly
2ª edición

TOMÁS BECKET
Pierre Aubé

BLANCA DE CASTILLA
Isabel Condesa de París

PABLO VI
Carlo Cremona

LA EPOPEYA DE LAS CRUZADAS
René Grouset

ISABEL II
Carlos Cambronero

EL PONTIFICADO ROMANO
EN LA HISTORIA
José Orlandis

PABLO DE TARSO
Ciudadano del Imperio
Paul Dreyfus

PÍO XII
El papa-rey
Robert Serrou

FERNANDO III
Rey de Castilla y León
Francisco Ansón

LA IGLESIA CATÓLICA EN LA
SEGUNDA MITAD DEL SIGLO XX
José Orlandis

CATALINA DE ARAGÓN
Garret Mattingly

RIESGO Y VENTURA DEL
DUQUE DE OSUNA
Antonio Marichalar

VOLTAIRE
Carlos Pujol

JUANA LA LOCA
MADRE DEL EMPERADOR CARLOS V
Su vida, su tiempo, su culpa
Ludwig Pfandl

CARLOS V
Philippe Erlanger

Para más información dirigirse a:
EDICIONES PALABRA, S. A. - Castellana, 210 - 28046 Madrid
Telfs.: 91 350 77 20 - 91 350 77 39 - Fax: 91 359 02 30
www.edicionespalabra.es - comercial@edicionespalabra.es